Amours, malices et... orthographe

La publication de ce livre a été rendue possible grâce à l'aide financière du Conseil des Arts du Canada et du ministère des Affaires culturelles du Québec.

Dépôt légal: 2e trimestre 1991
Bibliothèque nationale du Canada
Bibliothèque nationale du Québec
ISBN 2-89261-040-0

Distribution en librairie:
Socadis
350, boulevard Lebeau
Ville Saint-Laurent (Québec)
H4N 1W6
Téléphone (jour): 514.331.33.00
Téléphone (soir): 514.331.31.97
Ligne extérieure: 1.800.361.28.47
Télécopieur: 514.745.32.82
Télex: 05-826568

Conception typographique et montage: Édiscript enr.
Correction: Julie Sergent
Maquette de la couverture: Michel St-Denis
Illustration de la couverture: Geneviève Côté
Photographie de l'auteure: Jocelyne St-Onge

Claire St-Onge

en collaboration avec André Vanasse

Amours, malices et... orthographe

Jeunesse

Première partie

Chapitre I

« Je meurs d'ennui »

Sainte-Émilieville, le 10 janvier 1989

Maudite Marlène !

Qu'est-ce que t'attends pour m'écrire ? C'est la troisième lettre que je t'envoie depuis Noël et je n'ai pas reçu l'ombre d'une réponse ! Laisse-moi te dire que des sans-cœur comme toi, on n'en voit pas souvent.

Est-ce nécessaire de te rappeler que Sainte-Émilieville, c'est creux en titi ? Pis joue pas les innocentes, tu sais très bien que je ne peux pas me payer d'interurbains... Tu pourrais faire un petit effort, non ?

Comme j'écris toute seule depuis quelques semaines, je vais continuer sur ma lancée. Tu permets ? Ah ! et puis je m'en fous. Ouvre seulement tes grands yeux et lis. Tu te souviens que dans ma dernière lettre je t'avais raconté que je m'étais inscrite dans l'équipe de hockey? Imagine-toi que, pendant la pratique de samedi dernier, y a une espèce de folle qui m'a plaquée dans le coin de la patinoire. Elle m'a fêlé les deux dents d'en avant, l'écœurante! Je l'aurais étranglée si j'avais pas perdu connaissance.

Heureusement que le dentiste m'a arrangé ça, numéro 1. Mais t'aurais dû voir la face de ma mère quand il lui a annoncé le coût de sa «petite réparation». Si elle avait eu un dentier, elle l'aurait avalé... Inutile de te dire que ma carrière de hockeyeuse s'est arrêtée là.

Mais tu connais ma mère. Elle a tellement peur que je m'ennuie à Sainte-Émilieville (elle a raison, laisse-moi te le dire!), qu'elle m'a offert de suivre des cours de musique.

J'ai dit oui tout de suite. Je voyais déjà la belle guitare qu'on irait acheter loin loin de Sainte-Émilieville... Tu dois bien te douter qu'ici, ça n'existe pas les magasins de musique. Il y a seulement un magasin de disques où il faut toujours commander ce qu'on veut parce que le choix qu'ils offrent date d'avant la Deuxième Guerre mondiale.

Mais j'en reviens à ma guitare. Ma mère était d'accord. Elle a dit: « Trouve-toi un professeur et, après, on ira acheter la guitare. » Ç'a pas été long que je me lançais à la recherche du prof. D'abord, je m'informe auprès de toutes les personnes que je connais. RIEN. Je scrute ensuite à la loupe les petites annonces du Court-circuit de Sainte-Émilieville (notre journal local). RIEN. Je déchiffre (c'est le cas de le dire) tous les petits papiers qui couvrent le babillard du Métro-Richelieu: TOUJOURS RIEN. Peux-tu croire qu'il n'y a pas un seul habitant qui sache enseigner la guitare ?

Découragée, j'ai finalement décidé de laisser tomber mon rêve de rockeuse et de m'enfermer dans ma chambre. Mais ma mère, elle, n'a pas lâché: y a rien qui l'arrête une fois que son idée est faite. Et tu ne devineras jamais ce qu'elle m'a déniché: un vieux prof de trompette plein de rhumatismes! La première fois que je l'ai vu, j'ai failli m'étouffer. Je te mens pas, il a une vraie tête de croque-mort. Pis en plus, il sent les boules-à-mites. J'ai pensé: «Wow, nous deux, on va en pratiquer des marches funèbres!»

Mais comme j'avais pas d'autre choix, je me suis dit que je ne perdais rien d'essayer. Et puis, si c'est trop plate, j'aurai juste à lui faire entendre que je suis vraiment pas douée pour la musique. Pas plus compliqué que ça.

Mais il a beau être vieux, mon miteux, il ne manque pas d'énergie. On ne s'était pas aussitôt entendus qu'il m'a refilé une trompette toute cabossée pour que je l'astique «to the go», comme il dit. Et surtout, pas de niaisage: «Tu commences à souffler dedans pas plus tard que demain. La vie est trop courte, on n'a pas de temps à perdre» qu'il m'a dit. Et comment! À croire qu'il va mourir la semaine prochaine! J'étais assez énervée que je me suis mise à frotter sa trompette avant même qu'il ait mis le pied dehors.

Une vraie folle, que je te dis.

Alors, ma belle Marlène, si tu tiens à préserver ma santé mentale, écris-moi au plus vite. J'ai du temps libre à la tonne. Et je suis toujours à court de lectures. Une vraie «livromaniaque», comme ils disent à Communication-Jeunesse. Prête à lire n'importe qui, toi y compris! Ça fait que, gêne-toi pas, écris-moi. Je ne te demande pas de me rédiger un roman. Je me contenterai d'un tout petit chapitre. Condamne-moi au régime, si tu veux, mais je t'en prie, sauve-moi de la famine!

Adieu, toi qui m'oublies...

(et dire que je n'arrive pas à te rayer de ma vie!)

Louise xxx

Chapitre II

Un coup de téléphone plutôt court

Quand Marlène m'a téléphoné tantôt, on aurait dit une vraie hystérique. L'excitation avait fait grimper sa voix si haut dans le registre des aigus que je n'ai pas saisi le quart de son histoire. En plus, il y avait de la friture sur la ligne. Au bout de quelques minutes, j'avais l'oreille qui me bourdonnait comme une ruche. J'en pouvais plus. Alors, à bout de nerfs, j'ai crié à Marlène que si son histoire (de gars évidemment!) valait une aussi sérieuse crise d'hystérie, ça devait bien valoir qu'on la couche sur papier. Pis j'ai raccroché.

J'ai un peu honte, maintenant que j'y repense. Peut-être que j'y suis allée trop raide avec elle. J'aurai droit, c'est sûr, à une longue bouderie. Chaque fois, c'est la même chose. Elle a une tête de cochon et moi aussi. Comment peut-elle ne pas comprendre que ma plus grande joie, en cette année d'exil, serait de recevoir une lettre signée Marlène Robert? Pour toute réponse, je l'entends à chaque fois grincer des dents et taper du pied à l'autre bout du fil. Marlène hait écrire. C'est viscéral. Elle ne voit aucun intérêt là-dedans. En réalité, la seule chose qui l'intéresse, c'est les GARS!

Et c'est justement à propos d'un gars qu'on a commencé à se tenir ensemble. C'était il y a deux ans. Marlène et moi, on s'était retrouvées dans le même cours de français. À l'époque, Marlène avait un œil (et même les deux!) sur Denis Charland, «le beau p'tit blond de cinquième, haaaah!». Elle ne savait rien faire d'autre que de s'imaginer suspendue à son cou pendant qu'elle dessinait mille cœurs dans son cahier de français.

Moi, pendant ce temps, consciencieuse comme on n'en voit plus, je m'ancrais dans ma noix de coco la règle du pluriel des noms composés. Et j'essayais de mon mieux de faire redescendre Marlène sur terre: « Prends des notes, que je lui disais, sinon tu vas rester débile toute ta vie. » Elle me répondait, baveuse: « À quoi ça va me servir, le pluriel des noms composés quand c'est seulement un nom propre et singulier qui m'intéresse? Si tu veux savoir comment on écrit Denis Charland, ben demande-le moi. Je vais te l'écrire sans faute. » Et de me braquer sous le nez son cahier de français dans lequel elle avait écrit, parmi les cœurs, le nom de son amour en majestueuses lettres gothiques. C'est pas des farces, mais rien que pour dessiner son *D* majuscule — avec lequel elle avait fait un vrai travail de moine en l'ornant de superbes enluminures (feuilles de vigne, serpents, etc.) — ça lui avait pris trois cours complets!

Marlène a le don de m'époustoufler. Je la trouvais complètement capotée. De mon côté, je n'aurais pas osé lui montrer mon cahier dans lequel je m'étais appliquée à écrire des noms qui ne ressemblaient pas beaucoup à Denis Charland. Élève modèle, j'avais orthographié, de ma plus belle calligraphie, tous les mots composés qui sont toujours pleins d'exceptions: des oiseaux-mouches, des loups-garous, des porcs-épics, des vers à soie, des œils-de-chat, des chefs-d'œuvre, des terre-neuve. Heureusement que Marlène ne m'a pas demandé de regarder dans mon cahier. Elle m'aurait trouvée totalement *out*. Bref, c'est à partir de ce moment-là qu'on est véritablement devenues des amies. Disons qu'on l'était... Je me demande combien de temps elle va me faire la gueule. Telle que je la connais, elle va me laisser languir au moins quelques jours avant de me rappeler...

Et moi, qu'est-ce que je vais devenir d'ici là ?

Maudit village plate ! Ma mère aurait donc dû accepter le poste de prof qu'on lui offrait à Laval au lieu de venir s'enterrer ici à Sainte-Émilieville.

C'est vrai aussi que j'aurais pu choisir de rester à Montréal avec mon père. Sauf que mon cher papa est tout simplement invivable. Pour être franche, j'aime mieux lui écrire trois fois par semaine pour lui dire que je l'aime plutôt que de m'engueuler avec lui chaque fois que je le vois. Ma mère dit toujours « loin des yeux, loin du cœur ». Ben, avec mon père, c'est le contraire. Plus il est loin, plus je l'aime. C'est drôle, hein ?

Mais dans le cas de Marlène, ce serait plutôt le contraire. Si seulement elle était là, le temps passerait plus vite. Et dire que j'en ai encore pour six mois à me tourner les pouces. Aussi bien dire six éternités.

Au secours quelqu'un !

Montréal, le 18 janvier 1989

C'est un appelle ô secour !

Coucou Loulou je t'ai fais peur an ? mes ces vrai que tu doit venir à mon secour pi je sai pas par ou comensé. Comme tu voit je prens mon courage a deux main et je te pardone de mavoir racroché la ligne au nez car ma cause est vraiment trop inportante dans le moment pour être rencunière avec toi mais tu doi te demendé ce qui me prens de me décidé a t'écrire aujourd'hui. C'est parce que mon père est arrivé d'un congrais a Londre comme je te les dis au téléphone et que tu écoutait pas. Il ma rapporté un corespondant comme cadau. Et l'été qui viens c'est ma mère pi moi qui vons y aller. Il faut que tu m'aide parce que je veus coréspondre avec Julian. Il est sublime. Si tu le verais! il resemble à Denis Charland mais il es 100 fois plus beau. Il a 17 ans et il fais des art plastique. Un autre fois je te montrai sa photo qui ma envoyé mais là j'ai pas finie d'uzer mes yeux dessu. C'est le fils d'un cliant a mon père et je suis tomber en amour avec lui des que je l'ai vu. Si je lui écrit je pourré lui demandé de me faire visité Londre pendant que ma mère sera en congrais. Mais comme je fais plain de faute et que lui il veut perfectioné son français je panse que sa comense mal entre-nous deux. Il fôdrais je tant suplis que tu écrive pour moi a Julian parce que toi tu ès telement bonne en français. Je te diré quoi dire. Il ne poura jamais savoir que sait pas moi qui lui aie écris et c'est surement pas moi qui lui dira quant je le vérai. Pour tout de suite je sais pas trop quoi lui dire mais toi qui me connait plus que pèrsonne tu va surement trouvé quelque chose d'intelligeant. il fôdrait quand même que tu m'envoueille un double de se que tu écrit a Julian pour que je suive sa corèspondance. en mème tant tu pouras m'écrire puisque tu aime tant ça. Si seulement tu serait à Montréal ce serait beaucoup plus fasile. Sylvie, Manon pi Serge te fons dire bonjour et demende si l'électrisité ce rens jusquà Ste-Émiliville. J'espères que je tant demande pas trop mes quant tu vas voire sa photo a Julian tu va conprendre pourquoi je suis tellemant hénervé.

L'autre fois tu voulait savoir si le grand Marc machalait encor pour que je lui donne des nouvelle de toi. Ben ça fait deux semaine qui sors avec Denise Larue la fatigante qui étais dans ton cour de bio il y a deux ans. Que c'est que tu veut que je te dise. Un gars se *tane de courrire après un courant d'aire. J'attens ta réponse. Ne me fait pas niaisé ma maudite. à partir de demain je vais guetter le facteur comme une vrai enragé.*

Ta Marlène qui t'aime
« même si elle est en amour avec un gars » XXX

Chapitre III

« Une spécialiste de l'arnaque, moi ? »

J'ai sauté cinq pieds dans les airs quand j'ai reconnu l'écriture de Marlène dans le courrier du matin. J'ai pensé : « C'est un miracle, rien de moins. » J'ai même demandé à ma mère de me confirmer que je ne rêvais pas : « Je suis pas folle, Marie-Mée, c'est vraiment une lettre de Marlène ? »

En route vers la polyvalente, confortablement installée dans la minoune de ma mère, j'ai décacheté la lettre en prenant mille précautions, comme j'ai vu Marie-Mée le faire lorsqu'elle reçoit son chèque de pension alimentaire.

Et c'est alors que j'ai éprouvé, disons-le franchement, un choc terrible... J'avais oublié à quel point Marlène pouvait être nulle en orthographe. Côté écrit, elle est mille fois pire qu'au téléphone! On a l'impression de débouler au milieu d'une avalanche. Une vraie catastrophe, en somme... Même que j'ai dû la relire trois fois pour arriver à la déchiffrer complètement.

Au sujet de sa demande, je ne veux pas me montrer détestable, mais il me semble que Marlène abuse de moi. Ce n'est tout de même pas moi qui irai rencontrer le « sublime » Julian. Alors, je ne vois pas pourquoi il faudrait que ce soit moi qui se farcisse les tâches ingrates. Ainsi, pendant que JE rédigerais ses mots d'amour, mademoiselle s'offrirait des séances au salon de bronzage?! Et puis, l'été venu, bye! bye! mademoiselle s'envolerait vers Londres pour se jeter dans les bras de son bel Anglais. Au fond, ce que me propose Marlène, ça peut se traduire par la formule: « À toi le travail, à moi les plaisirs de la vie! »

Minute papillon!

J'ai décidé que les choses ne se passeraient pas exactement comme tu les as imaginées...

Sainte-Émilieville, le 24 janvier 1989

Marlène Robert, tu me tues!

C'est épouvantable! Je savais que ton français était lamentable, mais pas à ce point-là. C'est exprès que tu empires ton mal? Mais avant d'aller plus loin, mettons les choses au clair: il n'est pas question que je me substitue à toi pour écrire à ton «sublime» Anglais. Je te le dis bête de même parce que, contrairement à toi, je n'ai pas la délicatesse de placer la plus mauvaise nouvelle à la fin de ma lettre (Denise Larue, attends que j'y mette la main dessus!).

Bien sûr que je vais t'aider, ma belle Marlène, mais je vais le faire à MA façon... Penses-y deux minutes: qu'est-ce que tu vas faire si jamais ton beau Julian te demande de lui corriger ses textes pendant que tu es avec lui à Londres, hein? Ce serait pas long qu'il découvrirait le pot aux roses... T'aurais l'air d'une vraie dinde. Et même sans ça... s'il arrivait que ton Julian tombe en amour fou avec toi et que la belle idylle se poursuive par correspon-

dance pendant des mois, des années... Penses-tu que ça va toujours me tenter de te servir d'« entremetteuse » ?

Pour ne rien te cacher, j'ai longuement discuté de ton cas avec Marie-Mée (tu sais comme elle peut être efficace, ma mère, quand il s'agit de résoudre mes problèmes), et nous en sommes arrivées toutes deux à la même conclusion : la seule véritable manière de te venir en aide, c'est de t'apprendre à écrire comme il faut. Avant de crier au meurtre, écoute bien mes arguments.

Premièrement, je ne suis pas assez bonne en anglais pour pouvoir dire à ton Julian comment corriger son style. Je n'arriverai jamais à repérer tous les anglicismes qu'il commet alors que toi, toi qui as pété un 88 % en anglais oral au mois d'avril dernier (tu m'as assez cassé les oreilles avec ta note que j'ai pas pu l'oublier !), tu y arriveras sûrement plus facilement que moi.

Et puis, si jamais la jugeote de ton Julian n'avait d'égale que sa beauté (sur ce dernier point je fais confiance à ton bon goût), il finirait bien par s'apercevoir un jour ou l'autre que la

Marlène qui le suit partout comme un p'tit chien fou dans les rues mouillées de la capitale britannique ne ressemble pas beaucoup à celle qui lui écrivait de belles et très longues lettres où se manifestait un humour étrange, parfois un peu incisif, et qui l'inquiétait parfois... tsé veux dire, Marlène ?

Car écrire une lettre, c'est avant tout une question de style : t'aurais beau me faire écrire n'importe quoi, ce que j'écrirais, je l'écrirais à ma façon — pas à la tienne et ce, pour la bonne raison que le style de mes lettres correspond à certains aspects de ma personnalité. Quand je t'écris, c'est pas seulement ma lettre que tu lis, c'est une part de moi-même. C'est la même chose pour toi : ta lettre est un miroir cassé et dépoli qui reflète le désordre de ta chambre, tes livres jamais ouverts, ton esprit aventureux, tes grands yeux mauves (qui pognent tellement avec les gars !), ton sens pratique... Voilà pourquoi je ne serais pas capable de t'imiter. Toi, c'est toi et moi, c'est moi.

Ça fait que, si tu as compris le message transcendental que je viens de te glisser entre les lignes, tu as saisi du même coup que ce serait beaucoup mieux pour toi d'apprendre à écrire comme du monde plutôt que de te fier à « ta petite bollée de Louise qui peut tout arranger ». Et pour te dire le fin fond de ma pensée: je suis absolument convaincue que tu peux arriver à maîtriser ton français si tu fais les efforts qui s'imposent. C'est pas l'intelligence qui te manque, c'est juste que tu es foncièrement paresseuse et que tu penses qu'il y a toujours quelque part un esclave pour venir à ta rescousse. Je ne veux pas être ton esclave. Je préfère de beaucoup être ton alliée. Ensemble, on peut faire des miracles. Et je te promets que je ferai tout mon possible pour que l'abécé de la grammaire et de l'orthographe te rentre par une oreille et ne ressorte plus jamais par l'autre... Je suis loin d'avoir la compétence de Marie-Mée en la matière, mais l'avantage que j'ai sur elle, c'est de te connaître assez bien pour savoir comment m'y prendre avec toi. D'ailleurs, Marie-Mée se fera une joie de me conseiller si jamais j'ai besoin de renfort (elle se plaint tout le temps que je ne lui demande jamais rien...).

Sais-tu ce que tu devrais faire, là tout de suite? Déniche-toi un petit dictionnaire. Et puis plonge dedans chaque fois que tu hésites le moindrement sur un mot (le truc, c'est d'arriver à tourner les pages sans lâcher le crayon que tu tiens entre tes doigts!).

La première règle: te forcer pour construire des vraies phrases. À ce sujet, je te signale que le premier mot de chaque phrase commence par une LETTRE MAJUSCULE (mais t'es pas obligée de les enluminer comme tu le faisais pour «D»enis «C»harland, tu te souviens?) C'est pas compliqué et ça évite à ceux et celles qui te lisent de s'arracher les cheveux.

Ensuite, quand tu penses que tu as terminé ta phrase, ben c'est simple, tu mets un point final. Aussi bête que ça. Mais efficace parce qu'on sait où on s'en va. Pour les virgules et les autres petites bêtes qui s'appellent les points-virgules, les deux-points, les points d'exclamation et d'interrogation, on verra ça dans le temps comme dans le *temps (tu vois, je ne te demande pas l'impossible pour commencer. Avoue que je ne suis pas trop exigeante).*

Tu n'auras ensuite qu'à me poster ta lettre. Et moi, je te la retournerai aussitôt que je l'aurai revue et corrigée... avec, en prime, les commentaires de ta toute dévouée, commentaires qui t'aideront à faire encore mieux la prochaine fois.

Grâce à mon système, les lettres que tu feras parvenir à Julian seront les tiennes même après que je les aurai retravaillées. Elles porteront ta signature, elles garderont ton style, elles te colleront à la peau. Et quand Julian te verra, il te reconnaîtra dans ta façon de parler, dans tes gestes même parce que ton écriture en aura dit beaucoup plus sur toi que tu ne l'imagines.

Et dis-toi que le jeu en vaut la chandelle. Un voyage en Angleterre. Penses-y ! Ah ! si quelqu'un me faisait une offre pareille (le voyage et aussi le gars qui vient avec !), je serais prête à apprendre le chinois en six semaines. Mais pas de danger que ça m'arrive à moi, des histoires du genre ! Le seul événement de mon été, ce sera notre déménagement de Sainte-Émilieville vers Montréal. J'ai hâte, bien sûr, mais il n'y a pas de quoi en faire tout un plat... surtout que tu ne seras probablement pas là pour m'accueillir. Alors...

Avec toute cette histoire de correspondance, j'ai oublié de te donner les dernières nouvelles concernant ma petite vie à Sainte-Émilieville. Faudrait vraiment que je te raconte au sujet de mes cours de trompette. Ce sera pour une autre fois. Ce qui compte, c'est que tu écrives au plus tôt parce que ton bel Anglais doit attendre avec impatience la réponse de sa correspondante, et comme ta lettre doit faire l'aller-retour Montréal-Sainte-Émilieville avant de prendre son envol vers London, il n'y pas une minute à perdre.

Courage, ma chère, et ne m'oublie pas dans tes prières.

Louise XXX

Chapitre IV

Le choix de Marlène

Je touche du bois, je me croise les doigts et je me concentre sur la boîte à lettres. Et si par malheur le téléphone sonne, j'accours en flèche. Ça fait huit jours que Marlène me laisse languir.

J'ai beau m'esquinter les babines sur ma trompette pour passer le temps, je me sens comme une île déserte. Marlène doit se demander si son beau British vaut vraiment les mille souffrances qu'elle devra s'infliger. À moins que ses yeux de chasseresse insatiable se soient déjà tournés vers un autre « prospect » encore plus beau et plus sublime que Julian…

Avec elle, tout est possible, même le pire!

Montréal, 1 février

Bonjour ou bonsoir Londre

Je rêve de toi depuis longtemps. De ta tamise. De ta brume enchanté. Et je vois dans mon rêve entre deux goutte de pluie une tête pas complètement étrangère. S'est tu toi Julian ? Moi c'est Marlène. Je suis entrain de rêvé que je t'écrit une histoire. Mon histoire parle d'une fille qui vit à Montréal mes qui voudrès se voir des fois ailleur. Elle fais de la natation et le clore de la piscine mange ses yeux. Elle veux pas porté les lunettes spécial par ce que elle trouve sa trop laid. Sait pour cela que le clore peux mangé ses yeux et sait de valeur par ce que les yeux de la fille sont mauve. Et sait une couleur que j'aime. Ma mère a une collection de livre d'art et sait les Fauves que je préfèrent par ce que ils mette beaucoup de mauve et de roses nannane dans leur peinture. Et c'est joli. Le mauve et le rose son mes deux couleurs préférée. En plus aussi il y a le noir. Mais sa, se n'est pas une couleur. (Tu es mieux placé que moi pour savoir sa.) La fille dans mon histoire elle a les cheveux noir et long. Eux zautre aussi ils en prènent un coup avec le clore. Mais sait que les casques-de-bains sa tire les cheveux et sait laid encore pire. Pour tout te dire je sais pas pourquoi cette fille-la elle fait de la natation. Elle devrait se contenté de sa bicyclette. Mais pour en revenir à mon histoire, la fille est supposer d'allé faire de la bicyclette dans ton pays l'été prochain. Un voyage avec sa mère. Mais la mère elle elle y va pour faire des affaires.

Fais-tu de la bicyclette? Vous pouriez allé loin ensemble. Jusque en dehors de Londre pour visiter la campagne et les endroit qu'il y a à voir. Sais tu si U2 habite l'Angleterre ou bien l'Irlande? C'est juste pour savoir parce que la fille les aiment énormément. Mais peut-être que tu travailles en été. La fille serait désappointé. Elle a de la misère à imaginé un autre guide que toi pour la guidé. En attendant je veus bien t'aidé avec ton français car c'est plaisant d'écrire avec quelqu'un qui vis dans la brume à longueur d'année. Ici sait plutôt la neige. J'ai *hâte d'avoir une lettre de toi. J'espère que tu la trouve pas trop collante la fille de mon histoire.*

Salut et à la prochaine.

Marlène Robert
4205, rue d'Iberville
Montréal (Québec)
Canada
H2H 2L5

Montréal, 1 février (suite)

À ton tour asteur Louise Gariépy. Sais tu combien de temps sa ma prit pour écrire la lettre que tu vient de lire là ? 3 heure. Sans joke ! Sa fait que si tu pense que je vais persévéré à usé le dictionnaire pour t'écrire à toi, tu te mais un doigt dans l'œil. J'ai mal partout, a la tête surtout. Et c'est pas la faute de ma vue qui est très bonne. En plus que j'étais supposé allé voir mon voisin en face qui a téléphoné à soir. C'est un Vietnamien. Demande moi pas de t'écrire son nom, j'ai de la misère rien qu'a le prononcé. Il es en train de remonté un bésicle dans sa chambre pi son livre d'instruction es en Anglais. Il veux que je traduises des affaire. Je lui ai dis que j'étais pas sûr de pouvoir l'aidé. Sa doit être des mots bien compliqué. Mais sa coûte pas cher d'essayé. Il es pas mal flyé. Il a rentré son bésicle-à-gaz dans sa chambre pour joué dedans, vue qu'on n'es en hiver.

Heille Louise, j'ai relis tous ce que je viens d'écrire. Comment sa se fait que mes phrases sorte toute croche de même ? on dirait que j'ai 10 ans. Tu fais mieu de m'arrangé sa comme il faux si non Julian vas me prendre pour une ariérré mentale.

Souffle tu fort dans ta trompette ? J'espère que les voisins son pas proche si non sa doit être douloureux pour leu pauvre oreilles. Quand à moi je m'envais dormir sur les deux miennes. Pi vive le roi d'Angleterre !

Attend un peu j'ai pas encore fini. Je sais pas quel photo de moi envoyé à Julian. Les plus neuve que j'ai c'est les photos de Noël mais son pas bonne. J'aimerais sa que tu me repasse ma photo que je t'ai donner juste avant que tu parte. Elle était pas pire cella. Sa te dérange tu ? Merci t'ai un amoure.

Marlène XXX

Chapitre V

Un « trip » de grammaire

Depuis quelques jours, je plane littéralement... Marlène me donne du fil à retordre avec ses fautes invraisemblables, mais ce n'est pas grave: à force de me casser la tête pour elle j'ai complètement oublié de m'ennuyer.

Aussitôt rentrée de l'école, je me mets à l'ouvrage. Mon secrétaire disparaît sous les piles de dictionnaires de tous genres pendant que je noircis des tablettes entières de papier quadrillé. Je fouille, tâtonne, griffonne, chiffonne et recommence. Bref, c'est l'extase. Je ne lâche le stylo que quelques minutes, le temps de souper ou bien lorsque je me rends chez monsieur Belleau pour mes cours de trompette.

J'ai vite changé d'opinion au sujet du vieux bonhomme. Il m'est franchement sympathique malgré le fait qu'il prenne un malin plaisir à me dire des bêtises... Ce n'est quand même pas sa faute si je suis parfaitement nulle en musique: j'ai pas d'oreille, j'ai pas de rythme, j'ai pas de patience pour la pratique, mais rien que de le voir, lui, s'esquinter à me faire partager sa passion pour la musique, ça vaut le déplacement et... les dix piastres de l'heure que je lui remets à chaque séance.

Le malheur c'est qu'une fois revenue chez nous, je laisse tomber mon étui au fond de ma garde-robe et je l'oublie là jusqu'au cours suivant. Je me replonge illico dans ma passion à moi qui consiste aujourd'hui à trouver un moyen de faire entrer deux ou trois petites règles de grammaire dans la grosse tête dure de Marlène.

Je ne sais pas si j'y suis parvenue. En tout cas, je l'espère.

Le 7 février 1989

Sainte-Émilieville

Chère étourdie,

T'aurais dû dire à la fille de ton histoire d'aller lire les définitions du dictionnaire: elle aurait bien vu que «clore» c'était un verbe qui veut dire «fermer» (comme ferme ta gueule!). Si la fille en question avait fait un effort de plus, elle aurait fini par trouver le mot «chlore», le mot qui lui faisait si mal aux yeux!

Dis-lui de se méfier des homonymes (ça veut dire des mots qu'on prononce de la même façon, mais qu'on n'écrit pas de la même manière). Car les homonymes sont très nocifs pour la santé de ton français. Il y a ***tant*** *de mots qui* ***se*** *prononcent de la même façon qu'on risque de devenir fou. Je* ***t'en*** *prie, prends le* ***temps*** *de réfléchir à* ***ce*** *que tu écris.*

*«****Ces*** *jours-ci, monsieur Belleau (****c'est*** *le nom de mon prof de trompette) a beaucoup souffert à cause de* ***ses*** *rhumatismes aux mains. Il* ***s'est***

acheté des gants de laine car il **sait** que pour soulager ses rhumatismes, il doit garder **ses** mains au chaud. Pendant **ce** temps, la Louise **se** tourne les pouces (**c'est** une façon de parler...). Elle ne va pas chez Belleau quand celui-ci **se** bat contre les rhumatismes parce que, dans **ces** moments-là, il n'est pas parlable. »

Tu pourrais dire aussi à la fille que ça donne pas grand chose d'user d'un dictionnaire si ses yeux ne demandent pas à son cerveau d'enregistrer et de mémoriser les mots lus. Tu lui diras qu'il faut absolument qu'elle s'entraîne à emmagasiner les mots quelque part dans sa tête, sinon elle va avoir cent fois plus de misère à s'améliorer. Elle va perdre son temps à chercher toujours les mêmes mots dans le dictionnaire parce qu'elle ne les aura jamais remarqués comme il faut.

En d'autres termes, Marlène Robert, ça ne donne rien de mettre ton doigt en-dessous d'un mot et le copier lettre à lettre si, en même temps, tu n'arrêtes pas de penser à Julian.

Se souvenir des mots qu'on a lus à un moment donné, c'est, par exemple, la seule façon pour moi de savoir que les pomiculteurs de Sainte-Émilieville ont seulement un m alors que leurs pommiers en ont deux. C'est plein de mots comme ça qui sont en chicane avec leur famille, qui ne veulent rien savoir de leurs parents...

Comme par exemple: salaud et salope! Entre ces deux mots-là, c'est la guerre...

C'est vrai que le français, c'est difficile à apprendre. Et ceux qui prétendent le contraire ne savent pas de quoi ils parlent. C'est pas moi, c'est Marie-Mée qui a dit ça. Et je suis bien d'accord avec elle pour une fois. Tu ne m'as pas crue la fois où je t'ai dit qu'on avait vingt dictionnaires à la maison et qu'on les utilisait tous (même si c'est vrai aussi que je me sers parfois des plus gros pour maintenir les portes ouvertes).

C'est tellement utile les dictionnaires que j'en ai présentement toute une pile devant moi. Sans compter la grammaire, plus un petit livre bien pratique qui s'appelle L'Art de conjuguer et sans oublier non plus mon très cher Multidictionnaire (il m'est si précieux, celui-là, que je le traîne avec moi partout où je vais). À toutes les deux minutes, il me faut en ouvrir un pour aller vérifier le sens ou l'orthographe d'un mot. Tu comprends, je ne peux pas me permettre de laisser passer la moindre faute alors que je suis supposée t'aider à corriger les tiennes! Alors, toi qui trouves que les dictionnaires ça donne mal partout, il te faudra t'y faire, sinon aussi bien abandonner tout de suite.

Et à propos de tes maux, il me prend une envie de te parler de ton super big problem (c'est aussi celui d'un peu tout le monde) et j'ai nommé: «les verbes».

Sais-tu ce que **c'est** un verbe, Marlène? On dirait que tu ne **sais** même pas faire la différence entre un verbe et un pronom quand tu écris. Qu'est-ce que tu fais, coudon, pendant tes cours de français? Tu dessines des bonshommes?

Et si tu veux savoir pourquoi tes phrases sortent «tout croches» quand tu écris, c'est tout simplement parce que tu ne lis jamais. Si tu étais plus attentive durant tes quelques rares séances de lecture, tu retiendrais, sans même faire d'efforts, les modèles de phrases qui sont utilisés par les auteurs. Ouvre tes yeux et observe. C'est la clef pour apprendre à écrire. Bof... Je sais bien que tu vas dire que je radote comme un vieux prof... Je te demande seulement d'essayer pour voir.

Tiens, je te propose un jeu. La prochaine fois que tu verras le grand Marc, arrange-toi pour l'observer attentivement. Et dans la prochaine lettre que tu me feras parvenir (car tu vas le faire bientôt, hein Marlène ?), tu me diras ce qu'il portait ce jour-là. On va pouvoir vérifier si tes yeux sont aussi bons que tu le prétends.

Ah oui ! j'oubliais : c'est O.K. pour la photo. Mais pense à m'en envoyer une autre. J'aime te voir la face quand je t'écris. Tu m'inspires (beurk !).

J'aimerais aussi que tu me donnes des nouvelles de la gang. Et si c'est pas trop te demander, tu diras salut pour moi à monsieur Longchamps (je sais que tu ne l'aimes pas, mais moi je le *trouve fin). Et n'oublie pas d'observer Marc L'Italien pour m'en faire une bonne description.*

Écris-moi cent fautes... Ah ! mon Dieu qu'ai-je écrit ? Je voulais plutôt dire « écris-moi sans faute » si tu l'oses ! mais surtout, surtout, écris-moi.

Ta Louise qui attendra
impatiemment
un « petit morceau de toi »
dans le prochain courrier XXX

Montréal, 23 février

Allô chéri,

je t'écrit parce que j'ai rien à faire. La gagne sont partis au vues pis moi j'ai vue le film déjà en anglais sur le vidéo. Pis s'était plate. Ça fait que je me ramasse célibataire par ce beau Dimanche plate. Sylvie, Manon pis Serge aimeraient ça que tu leurs écris à eux autre aussi. Pis Marc L'Italien te dit bonjour. C'est pas moi qui es aller lui parler s'est lui qui m'as accroché dans le corridor. Il est toujours aussi gèné comme d'habitude. Ça doit pas avoir marcher avec Denise Larue. Pis toi tu es dont niaiseuse de me demandée comment il est habillé ! Tu sais pareille comme moi qu'il a toujours le même linge sur le dos ! les même running, les mêmes jeans, le même coat jeans, il y a seulement la couleur du T-shirt qui changent de temps en temps. Pis peut-être aussi (je l'espères en tous cas) celles de ses petite culottes. Tu veus-tu que j'aille voire jusque là pour te faire plaisir ? Je suis game. J'aurais rien qu'à lui dire que c'est (« cela est », je l'ai appris, hi ! hi ! hi !) pour ta curiositée personnelle. J'y ai donnée ton addresse pis j'y ai dit que tu aimerais ça (mis pour « cela » ah ! ah ! ah !) savoir s'il s'est (« s' » mis pour Marc) achetés du nouveau linge depuis que tu es parti. Me croit-tu ? Ça t'apprendras à me prendre pour une poire. Pis à part de ça, je sais vraiment pas ce que tu y trouve à lui. Il a l'air tellement niochon !

Certain que je l'ai comprit ton histoire de mémoire des yeux. Mais toi tu es folle de penser que les yeux peuvent remarquer touts les mots qu'ont lis. C'est impossible de remarqués les mots et de comprendre se qu'ont lis en même temps parce que l'autre jour quand j'ai recopiée la lettre à Julian j'étais pressée pis je voulais pas faire de faute. Ça fait que je fesais attention aux mots mais je pouvais pas comprendre en même temps se que j'écrivais. J'ai lue après que j'ai eus fini de copier. Pis c'est là que je me suis aperçu que t'avais changées pas mal d'affaires. Mon rose nanane par exemple. Tu as mit rose bonbon à la place. Ce n'est pas la même couleur. Il y a des bonbons qui sont roses bonbon et pis d'autre qui son roses nananes. Mais je t'astinerez pas la dessus parce que, dans le fond, Julian y dois pas connaître ça le nanane. C'est une couleur typique du Québec je penses. Merci pour le chlore pis toutes ces choses là. Tu me sauves la vie. Ça m'a l'air beau se que tu a fait avec ma lettre mais avait-tu besoin de changer tant d'affaires que ça? J'ai de la misère à me reconnaître la dedans. Ça doit être parce que c'est trop bien écri.

Hier j'ai passée la journée chez Haï Bang (Haï Bang Nguyen. Il m'a écrit *son nom). On n'a eus ben du fun. Au début je voulais pas y allé, j'avais peur de mourrir étouffé dans un 3 et 1/2 avec 17 Vietnamiens dedans. Mais c'est pas ça. Il sont seulement 5 enfants et la maison est grande. Haï Bang a sa chambre à lui tout seul mais seulement ils ont pas de garage. C'est pour ça (cela) que son père la laisser mettre son bicycle dans sa chambre (ou la moto si tu aime mieux). C'est pour la vendre un coup qui va l'avoir arrangé. Il fait les cours de mécanique à la polyvalente Vanier. C'est un amoureux des moteurs.*

Lui il sait ce qu'il veut. Moi non, je veus juste attendre une lettre de Julian, même si j'ai un maudit devoir de français à faire pour demain. Hey! Ça fait 3 fois que ton maudit Longchamp me fais recommencer 15 analyses de phrase pis je suis archi-nul la dedans tu le sait... Il men veus personnellement, il m'aime pas pis moi aussi je l'haït à mort. Dire bonjour de ta part s'est trop me demandé, j'ai mes défauts mais je suis pas une hypocrite!

Je voudrais que tu soi ici avec moi aujourd'hui, tu m'aiderait avec mon devoir pis après on niaiserais, on écouteraient des disques. on laisseraient faire mes fautes pis on aurait du fun rien qu'à se parlé. Mon père est parti patiné avec les jumeaux GG (Geneviève — Gabriel) pis ma mère est en train de faire les impôts. On seraient tranquille, je pourrais te tiré aux cartes. Je te dirais comme à toute les fois qu'il y a un beau jeune homme blond qui s'en viens dans ta vie. Pis on riraient comme deux folles, on pisseraient dans nos culottes, tu dirait «arrêtes j'ai mal au ventre». Pis moi j'arrêtrerais je te dirais «as-tu mal au ventre pour de vrai?» Pis tu répondrais «ben non niaiseuse j'ai juste mal au ventre de trop rire». Pis là on partiraient encore à rire parce que c'est vrai que quand tu as mal au ventre pour de vrai c'est pas drôle!

J'ai comtés les jours. Tu reviens dans 135 jours exactement. C'est trop long bien évidemment. Je vais essayé de convaincre mes parents de m'envoyée passé au moins une fin de semaine à Sainte-Émilieville. Je vais leurs faire à croire que tu va me donner des cours axéléres de français. Tu *vas voir qu'on va se voir dans pas longtemps nous deux. Fis-toi sur moi.*

Bye Bye ma Lou Lou, et n'oublis pas que ça tiens toujours ce que je t'ai dit pour les culottes de L'Italien. Pis si y en n'a des roses nananes. Oh la la attention ! J'y enlèves pis je te les envois par la malle.

Marlène XXX

Sainte-Émilieville, le 28 février 1989

C'est décidément la semaine des surprises !

Quand tu m'as parlé au téléphone, hier, tu ne m'as pas dit que tu m'avais aussi écrit ! Tu parlais tellement vite que tout ce que j'ai compris, c'est que t'allais venir à Pâques. Wabadabadou !

Géniale, ton idée des cours accélérés. Tu m'épates ! Je n'en attendais pas tant de toi. Et j'ai bien envie de te prendre au mot... Tu te rends compte ? Nous aurions au moins trois jours entiers à notre disposition pour nous entretenir à volonté des auxiliaires « avoir » et « être », pour discuter de l'importance de l'accord entre le verbe et son sujet et pour raconter à n'en plus finir les difficultés de la langue française... Nous aurions même assez de temps pour entamer une discussion passionnante sur l'accord des participes passés, la déclinaison des verbes irréguliers, et j'en passe, et des meilleures...

Voilà ce qui t'attends ici si jamais tu t'avisais d'aller jeter un seul coup d'œil du côté des petites culottes de Marc L'Italien. Lui, tu n'y touches pas !

Je le sais qu'il a toujours la même chose sur le dos. Je te demandais ça pour savoir si tu avais remarqué les détails de son habillement, pour savoir si tu avais fait travailler tes yeux ! La dernière fois que je l'ai vu, il avait trois trous dans ses jeans : deux avaient été rapiécés ; l'autre commençait à s'effilocher (jambe droite, côté extérieur, à la hauteur du genou). Et puis ses espadrilles sont lacées d'une curieuse façon. C'est original. Et il change de bas tous les jours (il en a une paire pour chaque jour de la semaine). Le jeudi, il porte les rouges ; le vendredi, les noirs. Ça ne varie jamais: Marc L'Italien est tout aussi invariable qu'un... qu'un nom de couleur composé! (Des culottes rose nanane, Marlène).

Ce garçon est très propre, à en juger par ses bas... Et j'imagine que c'est le même cérémonial pour ses petites culottes... Parce que Marc semble avoir de la suite dans les idées. Alors, pas nécessaire d'aller voir de plus près: mon sens de l'observation a déjà fait tout le travail.

J'espérais au moins que tu me parlerais de la couleur de ses T-shirts: un vert, un blanc, un rouge. Comme les couleurs du drapeau de l'Italie. Décidément, il porte bien son nom!

Hé! Sais-tu que tu fais de sérieux progrès en français? C'est vrai. T'es moins compliquée à lire. Tes phrases «se tiennent» mieux qu'avant. Je n'ai presque plus besoin de les relire douze fois pour les comprendre. Tu commences même à découvrir par toi-même les «richesses» de la ponctuation et des parenthèses, et, oh joie! tu as pensé à mettre «cela» pour différencier le «ça» du «sa» et le «c'est» de tous les «s'est/ses/ces/sait...». C'est extra! C'est un bon truc, non? (Quelques oublis par-ci, par-là, mais je suis sûre que tu vas y arriver avec un peu de pratique).

Tiens, j'ai un nouveau truc pour toi... Il s'appelle Simone. C'est un serpent qui se nourrit exclusivement de verbes. Pour se glisser dans une phrase, ma Simone devient «s'» devant le «est» (s'est). Ainsi Simone aime s'enrouler devant «est» pour guetter sa proie, le participe passé. Toutes les fois qu'un participe passé se montre la face, tu laisses la place à Simone: elle saura bien quoi faire avec...

«Simone **s'**est **placée** en position d'attaque devant «est» parce que Simone **s'**est trouvé un participe passé. Simone **s'**est dit: celui-là, c'est pour moi. Simone **s'**est **rassasiée**; puis elle **s'**est **endormie**. Mais elle **se** réveille dès qu'elle **se** rend compte que Marlène écrit «ce» au lieu de «se». Elle **s'**énerve puis elle **se** calme, **se** déroule et **s'**étire un peu. Elle **s'**admire car elle **se** croit invulnérable: «Emmenez-en des verbes!» dit-elle, «je les goberai tous. Car j'ai la panse qui **s'**étire à volonté. »

Le seul verbe pourtant qu'elle n'arrive pas à digérer complètement, c'est le verbe être. Celui-là lui donne des brulûres d'estomac. Alors, pour éviter ce genre de désagréments, elle fait le même test que celui que tu as utilisé dans ta dernière lettre: elle fait un essai avec « cela ». Elle **se** dit: **Ce** (cela) serait dommage de **s'**être encore trompé ! Elle trouve que **c'**est (cela est) un bon moyen pour éviter la flatulence (allez, fais un effort, cherche ce beau grand mot dans ton dictionnaire, mon ti-pet !).

Parlant de moyens... Ces temps-ci, Marie-Mée et moi sommes si peu en moyens que nous devons développer des trésors d'imagination pour arriver à nous nourrir convenablement... C'est vraiment pas de la tarte !

On ne peut pas dire que c'est dans le sac, son emploi de suppléante ici. Surtout depuis que la directrice de la polyvalente a décidé de la prendre en grippe (c'est une longue histoire que je te raconterai en détail quant tu viendras *me voir). Bref, notre budget est tellement serré qu'il a fallu que j'annonce à monsieur Belleau que je rompais mon contrat avec lui. «Je suis trop cassée pour continuer», que je lui ai dit.*

Et lui, rusé comme un vieux singe, de me proposer un marché: dorénavant, pour payer mes leçons, je n'aurai qu'à faire un peu de ménage dans sa bicoque poussiéreuse...

Monsieur Belleau est veuf. Il vit seul et ne pense qu'à sa musique. Pour dire la vérité, il n'est pas très porté sur le ménage. Tu devrais voir son salon, les rideaux n'ont pas été lavés depuis au moins dix ans!

Hé! sais-tu que je commence à avoir hâte d'avoir des nouvelles de ton superbe futur amant... Selon moi, sa réponse ne devrait plus tarder. Patience, chérie, et travaille ton français en attendant. Quant à moi, je vais aller jouer de la balayeuse une petite demiheure...

Alors à très bientôt ma pitchounette.

Louise XXX

Chapitre VI

La réplique du Britannique

Je ne tiens plus en place. Si je ne me retenais pas, je ferais l'école buissonnière...

J'étais déjà partie à l'école quand le facteur est passé. Et c'est justement CE MATIN qu'il a livré une enveloppe qui m'était destinée. « Elle est plus épaisse que de coutume » m'a dit Marie-Mée quand je lui ai téléphoné. Je frétille rien qu'à penser que Julian et Marlène m'attendent chez moi, dans ma chambre, sur ma commode.

Je dois bien m'avouer que c'est surtout à Julian que je pense en ce moment. L'attrait de la nouveauté, certainement. En tout cas, c'est sa lettre à lui que je vais lire en premier. Ah ! que j'ai hâte que l'après-midi finisse...

London, 19 février 1989

Chère Marlène,

Merci beaucoup pour votre lettre. Elle m'a provoqué beaucoup de rires. Tu êtes charmante. Je suis très heureux d'apprendre que tu es prêts à aider mes problèmes.

Aussi, je suis enchanté d'apprendre que tu êtes intéressée dans la peinture. Nous pouvons échanger nos idées et cela semble un très bon exercice à mon français.

Je n'habite plus avec mes parents depuis février le premier. J'habite avec mon école d'amis maintenant. Nous avons un grand atelier où nous travailler, manger, dormir indifféremment. Avant, c'était un petit entrepôt de marchandises sèches. Nous avons décoré et c'est très bien.

Je suis enchanté de connaître que tu venez le prochain été. Malheur, je ne peux quitter London dans l'été. Je vous dis pourquoi: le dernier été, mes amis et moi avons une bonne idée pour faire l'argent. Nous avons loué un mur dans Piccadilly Circus, où tous les touristes visitent. Je dois dire que Piccadilly Circus est en reconstruction depuis quelques années.

Depuis que les travaux dérangent cet endroit, les touristes sont partis. Ils vont ailleurs où il n'y pas de danger de tomber dans un trou. Les commerçants n'étaient pas très enchantés avec ce problème.

Alors nous avons demandé aux commerçants pour aider à payer la peinture et avons commencé à faire «Guess-how-long-will-this-paint-last». *Pour faire cela plus court, nous disons maintenant «Guholowithpala» et cela veut dire en français: «Devinez combien de temps cette peinture va durer».*

Je vous dis qu'est-ce que c'est et tu vas comprendre, je pense. Le matin, nous arrivons à notre mur. Nous avons des échelles de pompier (très sécuritaires) pour s'élever nous-même et, bien sûr, le mur est protégé de la pluie avec un auvent que nous pouvons enlever facilement.

Nous nous installons et nous peignons le mur selon notre plan de travail. Vers cinq heures, nous avons terminé notre «wall painting». C'est aussi l'heure où il y a plus de gens dans Piccadilly Circus. Alors nous vendons le wall à la personne qui offre le plus d'argent pour le posséder.

Aussitôt que le wall est vendu, nous enlevons l'auvent. Et même s'il ne pleut pas quand nous enlevons l'auvent, tout le monde sait que la pluie arrivera plus tôt ou plus tard. Alors les gens se mettent à parier combien de temps le «wall painting» va durer: «Guholowithpala», parce que souvent ils n'ont pas le temps de dire la phrase en entier que la pluie arrive et notre «wall painting» disparaît.

Nous sommes devenus une vraie attraction. Et cet été, nous allons être encore mieux. Nous aurons un photographe et l'acheteur de «wall painting» ne partira pas avec ses mains vides complètement.

Tu peux voir, je dois prendre avantage de l'été pour faire l'argent si je veux aller étudier en France sans l'argent de mon père.

Mais je parle trop de moi et c'est très impoli. J'aimerais que tu parles de *la vie à Montreal, les choses que tu faites, vos projets. Aimes-tu aller voir des expositions de tableaux? Si la réponse est «oui», quant tu allez venir, je pourrai vous faire visiter plusieurs.*

À bientôt,

Julian

Ma nouvelle addresse:
21 Penton Street
London N1 9PU

Montréal, 28 février

Il est complètement virer sur le top, ce gars-là. Voir si ça du bon-sens les affaires qui racontent! Rester dans un garage, vendre des peintures de mur qui partent à l'eau, je peux pas croire qu'il y a du monde assez fou pour acheter ça! Minute, bonhomme, rie pas de nous autres!

Ce (mis pour cela, ah! ah! ah!) qu'il raconte, ça (même règle!) ne marche pas avec ce qu'il a l'air sur la photo qu'il m'a envoyé. Ça doit-être la photo d'un de ses amis... Le vrai Julian je l'imagines plutôt avec 3-4 épingles dans le nez pis des trous partout dans les cheveux pour pas dire dans la tête! Un restant de Punk, un sauté. Je suis sûr qu'il veux rire de moi et qu'il a inventé tout ça dans sa bolle craquée pour voir ce que j'allais dire. Mai je dirai rien pantoute parce qu'elle est finie la correspondance. Tu sais comment j'haïs ça me faire niaisée.

Maintenant je dois lui faire savoir poliment que je ne suis plus intéressé. C'est surtout pour ça que je t'écris. Je ne sais pas comment lui dire ça. C'est trop délicat pour moi et mes gros sabots. Toi par exemple tu peux trouvé les mots qu'il faut pour que ça passe bien et que ça fasse claire en même temps. C'est la dernière affaire que je te demandes. Après tu n'aura plus besoin de t'occuper de mon français. Ce sera plus nécessaire. C'est Longchamps qui va t'être content... car tu ne sais pas la dernière? Ben le maudit il m'a accusé de plagiat parce que pour la première fois de l'année j'ai pas eu 0 sur 10 dans ma dictée. Il n'a jamais voulu me donné mon 4 sur 10. Remarque que je m'en sacre. 0 ou 4 pour moi c'est pareil. Ça veut dire que je coule pis c'est toute. Mais c'est une question de principe. Me faire traitée de copieuse quand c'est pas vrai. Pis en plus quand ça vient du prof que j'haïs le plus. Ça je le prends pas!

Il faut que j'arrête de penser à lui parce que je viens bleu. Mais quand j'arrête de penser à Longchamps, je pense à la lettre de Julian et là je deviens violette! Je vais aller faire un tour chez Haï Bang. Lui au moins il a la tête entre ses deux oreilles. Si tu penses m'écrire encore avant que j'ailles te voir à Sainte-Émilieville, je t'en supplie, ne me parle pas de Julian ni de mes fautes. Je pense que j'ai besoin de vacances pour ces deux sujets. Give me a break!

À bientôt dans le temps de Pâques

Marlène XXX

Chapitre VII

On m'en fait baver !

C'est vrai que l'humour british, ça n'a jamais fait tordre Marlène. Mais là, franchement, elle exagère. Moi, je le trouve *charming* ce bel Anglais. En tout cas, c'est tout un hurluberlu. Et ça fait changement si on le compare au troupeau de veaux qui fréquente la polyvalente ! *In fact,* j'adore les mecs qui ont du STYLE.

Marlène est folle de lever le nez sur lui. Il faut dire qu'avec le beau petit nez qu'elle a, elle peut se permettre de faire la fine narine. Et puis je ne serais pas surprise que Haï Bang lui ait lancé un irrésistible clin d'œil bridé. Et comme avec elle, on niaise pas, j'ai bien peur que le Vietnamien soit la toute prochaine étape de son périple d'amours interculturelles...

Mais si tu penses que je vais te laisser m'abandonner à mon triste sort sans rouspéter, sans batailler, c'est que tu ne sais pas encore comment je m'appelle ! Crois-moi, je vais trouver le moyen de t'en faire conjuguer à pleines pages des verbes, c'est Louise Gariépy qui te le dit.

Sainte-Émilieville, le 8 mars 1989

Chère imbécile,

Ton beau Julian est tout à fait sublime ! T'es vraiment folle de l'envoyer promener, mais puisque tu ne veux plus en entendre parler, je vais attendre que tu sois chez moi pour t'engueuler à mon aise.

Hé, je croyais que les coquerelles habitaient seulement dans les grandes villes... Hé bien, non. Ça m'a tout l'air qu'il y en a qui préfèrent vivre à la campagne, particulièrement dans la maison de monsieur Belleau ! Je t'en présenterai quelques-unes quand tu viendras.

Tu diras au chauffeur d'autobus que tu descends au terminus, parce que, passé Sainte-Émilieville, la terre s'arrête !

Le terminus est situé juste en face de chez nous. Je n'aurai donc pas besoin d'envoyer une limousine pour te quérir. J'irai à pied et en personne. C'est pas gentil, ça ?

S.V.P., m'apporterais-tu deux tonnes de papier quadrillé ? J'ai épuisé les réserves du magasin, ici. Merci. C'est tout. C'est court, han ?

Je t'embrasse, grande folle.

Louise XXX

P.-S. Apporte-moi donc plutôt trois tonnes de papier: j'ai peur d'en manquer...

Deuxième partie

Chapitre I

Des vacances organisées

Depuis hier, je me cogne partout et je passe mon temps à m'enfarger dans les fleurs du tapis: Marlène est arrivée et c'est la panique totale. À croire qu'on ne s'était pas vues depuis des millénaires.

Pour fêter son arrivée, monsieur Belleau et moi lui avons servi le fameux air de *Lili Marlène* avec sauce spéciale pour deux trompettes. Une chance qu'il était là, lui, sinon je m'en serais jamais sortie!

On formait vraiment un beau duo: imaginez deux capotés, plantés sur le bord d'une rue déserte et jouant des airs du temps de la guerre en guettant l'autobus...

À notre vue, Marlène a bien failli remonter dans l'autobus et s'en retourner sans crier gare. Je pense qu'elle était loin de se douter qu'elle recevrait un accueil aussi triomphal. Et pour cause ! Soudain on aurait dit que le village entier s'était donné rendez-vous à l'arrêt d'autobus pour assister à l'événement.

Mais Marlène, une fois la surprise passée, a poussé son hurlement de victoire et elle s'est jetée sur moi comme si j'avais été la réincarnation de John Lennon (inutile de spécifier que c'est son idole...). Hé ! que j'étais contente !

En voyant la scène, les senteux ont pris leurs cliques et leurs claques et s'en sont retournés : deux jeunes excitées qui s'excitent, c'était loin d'être excitant...

Et comme il fallait bien s'y attendre, à peine avais-je présenté MON monsieur Belleau à Marlène qu'il avait le coup de foudre pour elle. « Mamzelle Marlène, qu'il lui susurre, paraîtrait que tu joues le *ragtime* au piéno ? J'aimerais ben ça que tu viennes demain avec Louise... »

De son côté, Marlène a eu l'air tellement terrorisé qu'on aurait dit que c'était Dracula en personne qui l'invitait. Je l'avais pourtant prévenue la veille, au téléphone: «Monsieur Belleau est vraiment laid à faire peur, mais tu vas vite te rendre compte que c'est un amour de vieux chnoque!»

Elle a dû penser que je disais ça pour rire. En tout cas, elle, elle ne riait plus du tout. Elle fixait mon pauvre monsieur Belleau avec des yeux grands comme des trente sous. Je commencais à la trouver pas mal sauvage. Après tout, c'était quand même pas la première fois de sa vie qu'elle rencontrait une face laide! Mais tout à coup, v'là qu'elle me souffle dans le creux de l'oreille: «J'ai pas envie de revenir chez moi avec une coquerelle dans ma sacoche!»

Fiou! je me suis sentie soulagée: c'était pas la face de rat de mon Belleau qui la pétrifiait, c'était les coquerelles!

Alors moi, en vraie sadique que je suis, j'ai sauté sur l'occasion: «Viens-tu Marlène, on va aller reconduire monsieur Belleau... Il faut que je finisse de passer la balayeuse chez lui...»

Le pauvre monsieur Belleau qui ne savait plus trop sur quel pied danser, s'est aussitôt porté au secours de Marlène: «Y a pas de presse pour le ménage, Louise. Et pis, laisse le temps à ton amie d'arriver, bonyenne! Tu vois pas que le voyage l'a un peu fripée?»

Le coup de foudre, quoi!

Finalement, j'ai promis au vieux ratoureux qu'on irait le visiter dimanche. Puis j'ai aidé Marlène à traîner son sac de trois tonnes jusqu'à ma chambre.

On a placoté jusqu'à trois heures du matin. Disons plutôt que Marlène parlait pendant que moi, j'écoutais. C'est que, quand Marlène commence à s'étendre sur son sujet préféré, y a plus du tout moyen de dialoguer avec elle: «Y est assez beau! pis fin! pis comique! Il a des petits yeux noirs-noirs pis les cheveux courts-courts! Mon Doux! si tu le voyais! Pis quand il a la face pleine de graisse à moteur, il a l'air d'un pauvre ti-soldat blessé... C'est ben simple, quand je le vois comme ça j'ai une envie folle de lui sauter dessus!»

Et comment donc! Marlène croit dur comme fer qu'elle vient de gagner le gros lot! Elle flotte dans les souliers du grand amour, comme elle dit... Ça pour flotter, elle flotte! Je ne l'ai encore jamais vue dans un état pareil. Et dire qu'elle ne sort même pas encore avec lui!

Dès qu'elle a eu fini de s'extasier sur les charmes exotiques de son amour d'Asiatique, j'en ai profité pour lui faire connaître mon intention d'aller récupérer l'Anglais qu'elle avait foutu dans sa corbeille à papier.

— Ça te dérange pas, j'espère? Je m'intéresse beaucoup à la récupération, ces temps-ci...

— Ben voyons! qu'elle m'a répliqué. Pourquoi ça me dérangerait? Chus pas jalouse, MOI!

(Et v'lan! J'ai dû admettre que c'était bien envoyé...)

Avant de m'endormir, j'ai pensé: « Voilà tout de même une bonne chose de réglée. »

Il restait à convaincre ma chère Marlène de ne pas lâcher l'écriture. Pour arriver à mes fins, j'avais un vrai plan de nègre.

Chapitre II

Un chien dénommé Maurice

Ce matin au déjeuner, Marlène n'en finissait plus de s'empiffrer. Marie-Mée et moi, on a paniqué à l'idée que nos maigres provisions ne suffiraient jamais à sustenter notre ogresse d'invitée ! Marlène disait qu'elle n'avait jamais rien mangé d'aussi bon que les confitures maison de ma mère. Et pour ajouter foi à ses paroles, elle n'a pas hésité à vider le pot ! Et puis rien qu'à voir la façon dont elle a fait disparaître les trois quarts du pain tranché, la goulue, on voyait bien que l'amour ne lui avait pas coupé l'appétit !

Moi, je picossais sans enthousiasme dans mon bol de Spécial K. À vrai dire, j'avais un peu le cœur au bord des lèvres en songeant que tout à l'heure, j'allais devoir parler de l'affreux Maurice Desmarais à Marlène.

Avant de connaître Maurice Desmarais, je n'avais jamais haï personne. Mais depuis cette rencontre fatidique, j'ai vite appris à conjuguer ce verbe-là: hier, je le haïssais; aujourd'hui, je le hais encore plus, et demain, je le haïrai davantage, tins!

La raison? Il ne peut pas souffrir que je sois meilleure que lui en français et il sait vraiment s'y prendre pour me le faire payer. C'est bien simple, il me donne des crampes, il me révulse le système, cet insupportable excrément de protozoaire!

Mais pourquoi le hasard l'a-t-il flanqué sur mon chemin? Pourquoi Dieu a-t-il mis un Maurice Desmarais sur terre? Pourquoi est-ce que je me ruine le moral à toujours penser à lui? Et puis comment ça se fait que Marlène mange encore?

Avant qu'elle ne fasse une autre razzia dans le frigidaire, je me suis dépêchée de l'inviter à chausser les raquettes pour qu'on aille faire une promenade dans les alentours. Et là, je n'en ai pas cru mes yeux: la goinfre a sorti du sac le restant du pain pis elle s'est mise à faire des beurrées de beurre de pinottes pour emporter « au cas où »... Les deux bras me sont tombés. Marie-Mée, toujours plus prompte que moi à réagir devant l'imminence d'un désastre, s'est plongée dans l'étude de son ouvrage culinaire (et moi qui croyais qu'elle les connaissait toutes par cœur, ses *100 recettes pour les sans-le-sou* !).

Ma mère et moi, côté argent, on est vraiment en difficulté. Et tout ça par la faute de ce christie de Maurice. Ah ! que je le hais ! que je le hais donc ! Sûr que le Créateur a dû se démener en diable pour arriver à créer l'illusion que cet air bête-là appartenait à l'espèce humaine...

C'est sur cette profonde réflexion métaphysique (et une fois les raquettes chaussées) que j'ai entrepris de raconter l'histoire de ce chien sale à Marlène qui, pour une fois, m'a laissée parler sans m'interrompre ! (Y a pas à dire, Marlène n'en finira jamais de me surprendre).

Une crotte sur le cœur, c'est pas toujours facile à faire décoller. Heureusement que Marlène était là pour m'aider à cracher le morceau, sinon je pense que j'aurais fini par m'étouffer ben raide! « Pis? Mais arrête de brailler pis dis-le donc c'est quoi qu'i t'a fait de si dégueulasse, ton écœurant d'enfant de chienne. »

Je haletais — avec tout plein de *h* aspirés — comme si j'avais été sur le point d'accoucher. Et puis, c'est finalement sorti: « Au mois de février, ses parents sont allés en vacances. Alors, il a décidé de faire un party chez lui... Il a invité tout son fan club pis plein de monde de l'école... La veille de son party, il est venu me voir à ma case. Il m'a regardée avec son grand sourire niaiseux, pis il m'a dit: "Je t'aurais ben invitée mais t'as vraiment trop de boutons dans face!"

J'aurais voulu mourir dret-là! »

Voilà, c'était dit, et mon cœur a pu retrouver un rythme un peu moins affolé. Je pouvais maintenant, calmement, faire part à Marlène de mon projet de vengeance.

Un exposé oral était prévu en français au retour du congé de Pâques. Il s'agissait de faire le portrait d'une personne de notre entourage. « Je vais parler de lui comme si j'étais sa mère chérie... Ça va être un vrai massacre ! Le Maurice-de-merde va fondre sur sa chaise, j'te le garantis ! »

De la part de ma meilleure amie, je m'attendais à des encouragements, des « vas-y ! manque-le pas ! » ou quelque chose du genre. Au lieu de ça, Marlène-la-pas-fine n'a rien trouvé de mieux que de crever ma balloune : « Cent piasses que tu le feras pas ! »

(Est-ce que j'ai déjà écrit que je haïssais aussi Marlène, des fois ?)

En revenant on a fait un stop à l'épicerie pour acheter du chocolat Bakek (j'avais dans l'idée de cuisiner des petites gâteries pour monsieur Belleau). Je savais pas que c'était rendu si cher ! J'ai dû appeler Marlène à ma rescousse : moi j'étais à court de fric. Elle en a profité pour nous acheter toutes ces cochonneries que j'adore mais dont je me prive ordinairement pour des raisons tant cutanées que financières: tortillas, nachos, chips au vinaigre et B.B.Q., et pis deux gros Pepsi! Wahou! là tu parles, ma noire!

(Est-ce que j'ai déjà écrit que Marlène était une fille extraordinaire?)

Chapitre III

L'hameçon et le poisson

Dans ma chambre, on avait mis à sécher nos bas mouillés sur le calorifère et on dansait pieds nus sur *Eyes Without a Face* de Billy Idol en bouffant des chips. Marlène (elle pense vraiment à tout!) avait apporté dans ses bagages une quantité phénoménale de super bonnes cassettes. Ça changeait de ma pauvre collection personnelle et surtout, surtout de la radio locale qui se spécialise dans la discographie country-western... La toune finie, ma diseuse de bonne aventure a décidé qu'elle allait me tirer aux cartes.

Je l'ai prévenue que si elle avait encore le front de me prédire qu'un beau jeune homme blond entrerait dans ma vie, je ne me gênerais pas pour lui sacrer un coup de dictionnaire sur la tête!

Pendant que ma tireuse s'empêtrait dans la maison de la mort et celle de l'amour et qu'elle ne savait plus trop si le nombre de cartes était pair ou impair, j'en ai profité pour amener, mine de rien, la suite de mon plan sur le tapis. « T'as raison pour Maurice Desmarais. Je pense que je n'aurai jamais le courage de le descendre devant toute la classe. » Sans lever le nez de ses cartes, Marlène a répliqué: « N'empêche que c'est une maudite bonne idée parce que c'est un écœurant, pis un vrai... Et à part ça, des boutons t'en as ben moins qu'avant, c'est vrai! »

(Hé! qu'elle était donc fine de me dire ça! Je me suis sentie devenir rouge comme une cerise au marasquin.) Avant que j'aie pu dire: « Ah oui? Tu trouves?! », Marlène a poursuivi: « Comme ça, t'aimes mieux laisser le chien à Desmarais te battre un à zéro? Ça te ressemble pas! Écris-le ton texte?! Maganes-y le portrait! C'est là-dedans que t'es la meilleure! »

(Enfin ! j'entendais ce que je souhaitais entendre !) « C'est drôle ce que tu me dis là (ai-je lancé nonchalamment, hum, hum !). C'est JUSTEMENT à ce sujet que je voudrais te parler... »

— Sujet ? Quel sujet ?

(Marlène poursuivait son rituel bizarre. Sur le lit, le neuf de carreau venait de succéder au deux de pique, qui, lui, suivait le valet de trèfle, qui lui... enfin, je me demandais bien ce que Marlène allait inventer pour me faire croire que tout ça avait UN SENS.)

« J'ai bien pensé à tout ce que tu m'as raconté à propos de Longchamp. Tu sais moi, quand j'étais dans sa classe, j'avais pas à me plaindre — j'étais sa meilleure élève ! Mais en lisant ta lettre, je me suis rendu compte que c'était vrai qu'il était souvent bête avec ceux qui faisaient pas son affaire... Et puis je me suis dit que la meilleure façon pour toi de lui faire savoir ce que tu pensais de lui, ce serait de lui écrire une belle grande lettre où tu lui raconterais ses quatre vérités... »

Marlène me voyait venir avec mes gros sabots... Mais j'étais convaincue que mon idée avait des chances de la séduire.

— Tu veux rire de moi ? Tu sais très bien que c'est impossible ! Longchamp serait capable de se servir des fautes que je ferais pour me faire couler à pic dans mon prochain bulletin !

— Pas si tu continues à faire des efforts pour t'améliorer, niaiseuse ! Longchamp va fatalement se rendre compte que t'es loin d'être aussi épaisse qu'il le prétend ! Tu n'as qu'à le faire rentrer dans son trou !

J'étais certaine d'avoir marqué un point. Toute fière de moi, j'ai regardé le nombre incroyable de cartes que Marlène avait étalées sur le lit et je me suis écriée : « J'peux pas croire qu'il va se passer tant de choses dans ma vie ! Ce serait bien un miracle ? ! »

Marlène, exaspérée par mon absence totale de bonne volonté, a ramassé son paquet et s'est mise à battre les cartes pour elle-même.

(J'étais un peu déçue, en fin de compte, de ne pas connaître mon avenir...)

— Pis ? qu'est-ce que t'en dis de mon idée géniale ? T'achètes ou t'achètes pas ?

Et là, il fallait bien s'y attendre, j'ai eu droit à une réponse dans le plus pur style de Marlène :

— Si les cartes sont pour, je dis pas non.

Pendant que Marlène interrogeait les cartes, j'en ai profité pour aller interroger le plat qui mijotait sur le feu. Marie-Mée m'avait demandé de bien surveiller la cuisson.

— Bouillabaisse, es-tu cuite ? ai-je demandé en piquant avec une fourchette un morceau de poisson tout à fait dégueulasse. La bouillabaisse était la dernière trouvaille de ma mère en fait de recette économique. En gros, du poisson aux tomates. Pas terrible. Mais ça coûtait si peu cher qu'on en mangeait au moins une fois par semaine. J'avais beau lui dire que ça me donnait des boutons, y avait rien à faire. Et l'odeur du poisson était pire que tout: elle imprégnait la maison pendant des jours! (Les Français devaient être à court d'idées quand ils ont inventé ce plat-là!)

Marlène avait fait son apparition dans la cuisine en portant directement vers la cuisinière son regard de tigresse affamée. (Heureusement que Marie-Mée avait jugé bon d'en faire pour six personnes!) Penchée au-dessus du chaudron, elle en reniflait le contenu à grands coups de narine. Comment pouvait-elle trouver appétissante cette odeur de pourri?

— Pis? Qu'est-ce qu'elles ont dit, les cartes?

— Elles ont pas voulu se prononcer. C'est pas facile de se concentrer quand on meurt de faim!

(Et zut! Mais sois donc patiente, Louise, laisse-lui le temps de réfléchir, que je me disais à moi-même en étendant la nappe la moins laide que j'ai pu trouver.)

— Je sais pas ce que je donnerais pour un dîner numéro quatre avec rouleau du printemps, crevettes panées et une double portion de côtes levées ! Parce que je vais te dire franchement... la bouillabaisse de ma mère commence à me faire lever le cœur. Beurk !

Marlène s'était bien rendu compte qu'on tirait le diable par la queue. Mais elle ne comprenait pas pourquoi. Alors, pendant qu'on mettait la table, j'ai pensé que le moment était venu de lui expliquer comment on s'était retrouvées le cul sur la paille.

— Les jaloux de Gustave Larochelle, tu connais ?

Ben sûr que Marlène connaissait. C'était le nom de l'ancien *band* de Plume Latraverse. Eh bien, « les jaloux de Marie-Mée Gariépy », c'était le nom qu'on avait donné aux profs de la polyvalente. Ils étaient jaloux de voir qu'une pure étrangère (de Môréal en plus !) réussissait à se faire aimer de la majorité des élèves... Certains élèves — plus audacieux — allaient même jusqu'à conseiller à leur prof régulier de prendre des vacances pour que Marie-Mée prenne leur place ! Faut dire que ma mère avait le tour avec ses étudiants...

« Les jaloux de Marie-Mée » sont donc allés se plaindre à la directrice qui s'est fait un plaisir de coller le nom de ma mère en bas de la liste de suppléance !

— Quand un prof s'absente, la direction fait appel à ma mère... uniquement en désespoir de cause ! Tu comprends maintenant pourquoi on n'a pas une cenne ?

Marlène, en apprenant ça, est montée sur ses grands chevaux :

— Mais c'est écœurant ! Ç'a pas d'allure !? Pis ta mère accepte ça ? Mais qu'est-ce qui se passe avec vous deux, coudon ? C'est pourtant pas dans vos habitudes, de vous laisser faire ? J'ai l'impression que ça vous fait pas, l'air de la campagne !

Elle avait peut-être raison. Entretemps Marie-Mée essayait autant comme autant de se trouver une deuxième job pour arriver à joindre les deux bouts. Marlène était d'accord pour dire que c'était ce qu'il y avait de mieux à faire.

— Pis toi ? qu'elle m'a dit, qu'est-ce que tu comptes faire pour Maurice

Desmarais ? Tu me proposes d'envoyer un paquet de bêtises à Longchamp quand on sait ben que t'as la chienne d'aller dire en avant de la classe la ressemblance qu'il y a entre un chihuahua enragé pis lui !

Marlène avait tort: c'était pas « la chienne » qui me retenait, c'était ma mère ! Je craignais (elle aussi d'ailleurs !) qu'elle perde définitivement son poste si je m'en prenais au beau Maurice-à-sa-maman !

— Ce que je t'ai pas dit encore, ma chère Marlène, c'est que la directrice s'appelle Desmarais, elle itou, pis que c'est la mère de Maurice, maudite marde !

Chapitre IV

Le plat de résistance

La partie de hockey était mortellement ennuyante. Et quand Lionel Duval a dit que le beau Russ Courtnall ne serait malheureusement pas disponible pour l'entrevue annoncée plus tôt, Marlène et moi on a préféré fermer la télévision. De toute façon, tout ce qu'on syntonisait en dehors de Radio-Canada disparaissait dans une tempête de neige.

— On joue au scrabble?

Marlène a plissé le nez:

— *No way*! J'ai pas envie de jouer à un jeu où j'ai moins de chances de gagner que j'en aurais au Six-quarante-neuf!

J'étais à court d'idées. Pour la première fois depuis l'arrivée de Marlène, on se retrouvait avec absolument rien à faire. Plus rien au programme. C'était pas normal, il fallait FAIRE quelque chose, n'importe quoi !

Et c'est là que Marlène m'a lancé (de quoi me faire tomber en bas de ma chaise) :

— T'aurais pas, à la place, un jeu pour m'apprendre à écrire les verbes comme du monde ? J'pense que j'ai envie de faire faire une crise cardiaque à Longchamp !

Je me suis pincée pour être sûre que je n'étais pas en train de rêver.

C'était le monde à l'envers. Sérieuse comme un pape, Marlène m'écoutait sans piper. Son front, son nez, ses sourcils, tout son visage participait à un intense effort de concentration. À croire que sa vie dépendait des minutes qui allaient suivre.

— Il faut que tu fasses la différence entre l'infinitif et le participe passé, qui sont deux formes du verbe. Exemple heu !... « Je suis allée faire de la raquette », « allée », participe passé employé avec « être », s'accorde en genre et en nombre avec le sujet qui fait l'action... Ben oui Marlène ! « je » c'est toi, pis toi t'es une fille : tu dois écrire « allé-e », féminin singulier... Maintenant, la forme infinitive. Exemple... « Je vais aller jouer du piano chez Belleau demain », toujours l'infinitif après les verbes auxiliaires comme « aller », « pouvoir », « vouloir », etc. Exemple « Je pourrais jouer... Je voudrais aller... J'irais jouer... ». Pour faire la différence, il y a un truc facile. Tu changes les verbes en « er » par des verbes en « ir », « oir » ou « re ». Par exemple, tu remplaces, « je voudrais aller », par « je voudrais finir » ou « je voudrais prendre ». Tu sais automatiquement que c'est l'infinitif que tu dois utiliser dans ce cas-là. Ça va ? On continue... Le participe passé employé comme adjectif et le participe passé employé seul, sans auxiliaire, s'accordent toujours comme des adjectifs ordinaires. Exemples :

« Une page noircie de mots. »

« Des pinottes blanches et salées. »

Salées, féminin pluriel, comme les pinottes.

Marlène soupire, Marlène est peut-être fatiguée, féminin singulier... Elle n'a qu'à me dire d'arrêter : « arrêter » à l'infinitif parce qu'elle peut dire aussi : « Elle n'a qu'à me dire de me taire. »

(Mais Marlène ne disait toujours RIEN ! Son endurance paraissait sans limite ! Moi qui pensais qu'elle en aurait bien assez au bout d'une petite heure, j'en étais réduite à me tordre les méninges pour en extraire un peu plus de jus...)

« Marlène a mangé toute la bouillabaisse ». Le participe passé employé avec « avoir » s'accorde avec le complément d'objet direct, si — et seulement si — le complément d'objet direct (C.O.D.), est placé avant le verbe. Exemple : « Longchamp a avalé sa craie. » Il n'y a pas d'accord parce que le C.O.D. est placé après le verbe. Dans l'exemple « Marlène a avalé sa pinotte de travers », es-tu capable de trouver le C.O.D. ?

— Facile ! A avalé quoi ? Sa pinotte. Le complément d'objet direct est placé après le verbe, donc « avalé » ne s'accorde pas. C'est ça ?

— Oui, c'est ça! Maintenant écris: «La craie que Longchamp a avalée»... Avalé quoi? Cette fois-là, le C.O.D. est en avant du verbe. Donc «avalée» s'accorde avec?

— Avec Longchamp?

— Ben non, niaiseuse! Longchamp c'est le sujet! «Avalée» s'accorde avec le C.O.D., c'est-à-dire avec «craie», féminin singulier!

Enfin! à trois heures du matin, Marlène bâillait comme une bonne. De mon côté, j'avais le bassin de neurones à sec. J'étais vidée.

— O.K. Marlène, on va aller se coucher?

— O.K. mais dis-moi où t'a mis ma jaquette?

— Ta quoi?

— Ma jaquette! Complèment d'objet direct!

❑

En ce matin de Pâques, levée de bonne heure et de bonne humeur, je m'affairais à concocter une petite surprise pour mon monsieur Belleau. Le chocolat Baker fondait tranquillement dans le bain-marie pendant que j'essayais tant bien que mal de sculpter la forme d'une bibitte dans un pain de savon Ivory. L'odeur envoûtante du chocolat se mêlait à celle, moins ragoûtante, du poisson de la veille. Curieux mélange... Quoiqu'il en soit, il n'en fallait pas plus pour réveiller Marlène. En moins de deux elle était dans la cuisine, l'œil hagard, le cheveu hirsute, et le ventre affamé :

— Qu'est-ce t'es en train de manger ? Un pamplemousse au chocolat ?

— Je mange pas, niaiseuse ! Je fais un moule de coquerelle !

— Un quoi ?

Du coup, elle s'est réveillée pour de bon. Alors je lui ai expliqué mon idée de cadeau-original-et-pas-cher-pour monsieur Belleau : « Rien de mieux qu'une boîte de coquerelles en chocolat confection-maison, han ? »

Marlène, on s'en serait douté, n'était pas du tout de mon avis :

— T'es folle ! C'est pas des tours à jouer ! Ton Belleau va te haïr ?!

— Ben non ! que j'ai répliqué. Il les aime, ses coquerelles. Ça lui rappelle sa jeunesse. Il vit dans son passé depuis qu'il est tout seul. Avec le temps du *ragtime* « made in Saint-Louis » pis des coquerelles qu'il y avait dans son taudis !

— C'est un fou ! m'assura Marlène, parfaitement éberluée.

— Ben non : c'est un vieux.

— Un vieux fou, d'abord !

— Viens donc m'aider au lieu de chiâler. Tu trouves pas que ma coquerelle fait pitié ? On dirait un zeppelin ! Et pis, je dois avoir fini tout ça avant que Marie-Mée revienne de la messe sinon elle va hurler en voyant cette horreur-là.

Marlène a toujours été meilleure que moi en arts plastiques. Et j'étais sûre qu'en la flattant dans le sens du poil, elle ne se ferait pas trop prier pour achever mon « œuvre »... Ensuite, il resterait à enduire le moule de paraffine pour isoler le chocolat du savon : puis on coulerait le chocolat et on...

Oh mon Dieu ! je me rendais compte tout à coup qu'avec un seul moule on ne finirait jamais !

— Hum ! Es-tu bonne pour m'en sculpter cinq autres, Marlène ? C'est qu'on n'a pas toute la journée devant nous autres...

— Tu parles ! Avec toutes tes folies, t'as oublié que je déjeune le matin, pas le soir !

La manufacture de coquerelles produisait à une cadence infernale, Marlène ayant réussi à fabriquer les six moules en un temps record. Sur la table recouverte de papier ciré, une petite armée de coquerelles se trouvait gentiment alignée. Surmontant l'horreur que lui inspiraient ces petites bêtes franchement dégoûtantes, Marlène parvenait maintenant sans difficulté à en croquer une toutes les cinq minutes. La bouche pleine, elle disait :

— En tout cas, tu vas aller les porter toute seule, tes coquerelles...

— Si tu continues comme ça, ma cochonne, j'aurai plus rien à aller porter !

Marlène a ri. C'était bon signe. À moi d'en profiter et de la convaincre de m'accompagner. J'avais la ferme intention de ne pas laisser mon Belleau fin seul le jour de Pâques. Marie-Mée l'avait invité pour le souper mais ce n'était pas la même chose: devant ma mère il se montrait plus réservé, alors que chez lui, lâché *lousse*, il n'était pas tenable!

— Viens! Je te jure qu'on va avoir un *fun* noir! Avec monsieur Belleau, on s'ennuie jamais! Et pis, ça y ferait tellement plaisir!

Marlène n'avait pas l'air tellement convaincue: « Ça fait deux ans que je joue plus de piano, tu le sais bien! »

Alors, voyant que ça ne servirait à rien de lui tordre les deux bras, j'ai pris les grands moyens: « Monsieur Belleau voudrait qu'on goûte à sa spécialité, ce midi: "La Bella Lasagna Di Bello"! »

(Je savais d'expérience que Marlène était prête à traverser un désert infesté de scorpions pour l'amour d'une assiette de lasagne...)

Chapitre V

Oh ! le beau trio !

Monsieur Belleau s'était mis sur son trente-six. Quand il nous a dit que c'était son habit de noces, hé ben on l'a cru. Le complet avait l'air d'avoir été bouffé par des dizaines de générations de mites. Sur les manches, les trous avaient pris des dimensions généreuses, et on pouvait voir sa chemise au travers. Elle avait dû être blanche à une lointaine époque mais cinquante ans de lavages périodiques l'avaient rendue aussi jaune que possible. Monsieur Belleau était fier de son déguisement de quêteux: « Bienvenue en 1922 ! » qu'il nous a lancé avec son inimitable sourire édenté avant de nous « faire passer au salon ».

La balayeuse trônait encore au beau milieu de la place. (Je sais que je passe pour une belle traîneuse mais je m'en fous!) D'ailleurs, monsieur Belleau aussi s'en foutait: «Y a des choses autrement plus importantes dans la vie qu'une maison sans traîneries». Pas besoin d'ajouter que j'étais cent pour cent d'accord avec lui!

Quand il a vu ce que contenait la grosse boîte décorative en fer blanc que j'avais chipée à ma mère, il s'est mis à se taper sur les genoux, plié en deux, crinqué comme un vieux ressort défectueux: «Ah ben, ma vlimeuse! Des cancrelats en chocolat! Ben, ma vlimeuse! Des cancrelats! La vlimeuse! Ah ben la vlimeuse!...»

— Arrêtez de radoter, que je lui ai soufflé, sinon Marlène va croire que vous êtes sénile pour vrai!

Elle avait pris son petit air un peu constipé et je trouvais que ça augurait bien mal pour la suite... La narine frémissante, elle jetait des regards anxieux tout autour, comme si elle s'attendait à voir surgir à l'improviste une coquerelle mutante de deux cents livres !

Monsieur Belleau l'a plutôt invitée à « s'assire au piéno » et j'ai compris qu'elle faisait son gros possible, malgré tout, pour être fine : « Ça fait une éternité que j'ai pas joué de *rags*, monsieur Belleau. J'ai tout oublié ! »

— Menon ! Tu vas voir qu'avec les feuilles de musique, tu vas retrouver ta mémoire pis vite. T'es pas Alzheimer, toujours ? Ouh ! Ouh ! Hi ! Hi !

Monsieur Belleau s'amusait comme un p'tit fou. Il avait sorti son gramophone (une pièce rarissime avec un immense cornet en forme de fleur) pour nous faire entendre un enregistrement unique de Scott Joplin, le roi incontesté du *rag*. Marlène se rappelait par cœur le titre de toutes les pièces : *Reflection Rag, A Breeze From Alabama, Search-Light Rag,* etc. On a écouté aussi *The Sting,* de Kevin Eubanks, que tout un chacun reconnaissait comme étant le thème musical du film du même nom.

Personnellement, j'adorais cette musique des années fo-folles, mais pour réussir à en jouer, c'était une autre paire de manches ! Fallait être « sauté » pour arriver à comprendre une musique qui avait comme principe de valoriser la fausse note et les accords dissonants ! C'était évidemment le cas de Balthasar Belleau et de Marlène Robert, à ce qui semblait...

Marlène paraissait avoir complètement oublié sa phobie des coquerelles. Suivant les conseils que lui prodiguait mon Belleau, elle retraçait chaque partie d'une pièce en pianotant gaiement des suites pas possibles de faux bémols et d'archifaux dièses... (C'est ici que j'ai appris, à ma grande stupéfaction, que le *ragtime* se pratiquait de préférence sur un piano désaccordé — aussi appelé « piano massacre » : quand je disais que c'était sauté ?...)

— Je pense que le *Pippin Rag* pourrait faire l'affaire, monsieur Belleau, disait Marlène.

— Oui ! Le *Pippin*. On peut facilement l'arranger pour piano et trompette, celui-là !

Monsieur Belleau jubilait. Il se sentait toujours dans une forme du tonnerre quand il y avait de la musique dans l'air. Et quand, plus rarement, il arrivait que d'autres musiciens rappliquent chez lui pour « jammer un brin », c'était carrément l'extase !

Je m'étais retrouvée parfaitement désœuvrée. Marlène et monsieur Belleau n'avaient pas l'air d'avoir besoin de moi pour se faire du *fun*, et j'étais — disons-le — un peu jalouse. Y a rien de plus plate que de se retrouver à faire bande à part malgré soi. Aussi je me demandais quel moyen prendre pour leur rappeler mon existence. (Ça n'a pas été long que je l'ai trouvé !)

— Hi ! Marlène ! Garde juste là à côté de ton banc !

Elle a poussé un de ces cris... Dans un bond elle me rejoignait sur le divan en se tenant le cœur à deux mains. Monsieur Belleau, loin de paraître surpris, se demandait plutôt quelle mouche l'avait piquée : « Heu tu serais pas un peu "épidectique" des fois, non ? »

Je m'étais cachée derrière une feuille de musique pour qu'ils ne me voient pas la face... Mais au bout de trois secondes, j'éclatais d'un rire inextinguible! (Ah! le beau mot que je tiens là!)

Monsieur Belleau, qui en avait vu d'autres, attendait patiemment la suite. Et Marlène (hé! qu'elle peut être naïve des fois!) a cru bon de s'expliquer.

— Louise rit de moi parce que j'ai une peur bleue des coquerelles, si vous voulez savoir.

— Des co... quoi? qu'il a dit. Je me roulais par terre...

Alors voyant bien que je me bidonnais comme une folle, monsieur Belleau a tout deviné... et n'a rien trouvé de mieux que de se dépêcher de réconforter Marlène, le mauvais joueur!

— Hé ben, mamzelle Marlène, qu'il a dit, j'pense que ta *chum* s'est amusée un peu à tes dépens, pis aux miens itou... Je sais pas au juste ce qu'elle a pu te raconter au sujet de mes coquerelles, mais laisse-moi te dire que les seules que tu trouveras ici font partie de ma collection d'insectes, pis ça fait un maudit bout de temps qu'elles bougent plus, tu peux me croire!

Avant que Marlène n'ait eu le temps de réagir, je m'étais emparé du tuyau de l'aspirateur, prête à parer à une éventuelle attaque: « S'cuse Marlène ! Tu m'en veux pas, han ? C'est pas de ma faute mais je peux pas m'empêcher de grossir les histoires des fois... C'est trop l'*fun* pis ça désennuie en bibite ! »

Marlène était furieuse:

— Pauvre toi ! Ça s'peut-tu s'ennuyer de même ! Elle est même pas drôle ta *joke*, tu sauras !

— N'empêche que je t'ai eue !

— O.K. Tu m'as eue pis on n'en parle plus... Astheure lâche donc ton tuyau pis essaye de jouer tes trois notes sans massacrer ma toune ! (Massacrer SA *toune* ! ? Non mais... pour qui elle se prend ?)

« La Bella Lasagna di Bello » a vite fait de redonner le sourire à ma Mona Lisa. Sans compter que monsieur Belleau était aux petits soins avec elle. Le temps d'un *rag* et d'une lasagne, et voilà que ces deux-là étaient quasiment comme les deux doigts de la main. C'est fou comme l'amitié prend des drôles de chemins parfois...

On a pratiqué le *Pippin Rag* tout l'après-midi. Monsieur Belleau applaudissait la prestance de Marlène et m'encourageait à poursuivre mes pénibles efforts: «T'as embarqué juste un peu trop vite. Attends la fin du cinquième triolet; pas du quatrième, bondance! On reprend au début: «Ouverture, mamzelle Marlène?»

Marlène, pas rancunière pour deux sous, essayait même de me faciliter la tâche en ralentissant et en simplifiant les différents mouvements du *rag*. Elle a fini par modifier tant de choses que finalement le *Pippin Rag* était devenu méconnaissable. Et puisque c'était devenu SA TOUNE, elle a décidé de lui donner un nom: *Le Rag de la coquerelle* a failli nous faire oublier le jambon à l'ananas de Marie-Mée.

La table de Marie-Mée avait pris des allures princières. Une vraie folie! Le loyer du mois avait dû y passer! En tout cas, elle n'avait pas à craindre d'en manquer et pour une fois elle pouvait se réjouir de l'engouement de Marlène pour la bouffe. Faut dire aussi que monsieur Belleau ne donnait pas sa place non plus: «Le *rag*, ça creuse l'appétit pis ça conserve le cœur léger!»

Je ne l'avais jamais vu aussi pétant d'énergie. Il paraissait plus jeune et même moins laid que d'habitude (du moins, il me semblait...) Aussi j'étais bien contente de lui laisser raconter le fin fond de l'histoire du *Rag de la coquerelle*, sachant que ma mère ne serait pas étonnée de mon dernier coup pendable: «Pour ça elle doit plutôt tenir de son père, qu'elle disait. Tu trouves pas que tu fais "bébé" pour ton âge, Louise?»

(Elle avait le tour de m'étriver, celle-là!)

— Pis quand bien même? que je bafouillais en engloutissant un énorme morceau de jambon. Je m'en fous d'avoir l'air bébé quand je m'amuse avec mes amis. Pas vrai Marlène?

Mais Marlène-la-traîtresse pensait la même chose que ma mère: «Ça va bien lui passer un de ces quatre matins, ces niaiseries-là», qu'elle a dit en pinçant les lèvres comme une vraie snob...

Les flèches fusaient d'un bord à l'autre. J'avais la douloureuse sensation d'être leur cible préférée...

Monsieur Belleau qui ne s'était pas encore prononcé à mon sujet, a décidé de venir à ma rescousse.

— Ben, pour ma part je dirais que c'est le monde vlimeux comme la Louise qui font oublier aux vieux qu'ils sont vieux...les vlimeux pis, ben entendu, le *ragtime* !

(Quand je disais que mon Belleau était un amour de vieux chnoque !)

On a passé une nuit blanche à écouter de la musique en sourdine tout en jasant. À six heures, on était mortes de fatigue. Marlène, qui supportait moins bien que moi le manque de sommeil, avait l'air complètement zombi. Même que j'ai dû rempaqueter ses affaires à sa place, sinon, elle en aurait oublié la moitié. Aussi, j'en ai profité pour glisser dans son sac toute une pile de romans que j'avais décidé de lui prêter...

❑

Dans moins d'une heure, Marlène reprendra la route vers Montréal, et je ne sais pas ce que je donnerais pour partir avec elle...

Pendant qu'elle est sous la douche, je lui confectionne un petit déjeuner plantureux (pamplemousse, pain doré, œufs, bacon et saucisses, champignons et tomates). Sans oublier le lunch pour le voyage!

Je guettais l'autobus par la fenêtre du salon quand Marie-Mée est venue nous rejoindre, emmaillotée dans son affreuse robe de chambre en chenille jaune caca d'oie.

— Ouache! a dit Marlène qui s'était à moitié endormie dans le fauteuil. Une chance qu'il y a pas d'homme dans la maison...

— Comment? Toi non plus, tu n'aimes pas mon déshabillé sexy?

— Qu'est-ce que tu dirais si je te trouvais un beau logement avec une cuisine de cette couleur-là?

(Marlène nous avait promis qu'avec l'aide de ses parents, elle nous trouverait un logement « abordable » dans notre ancien quartier.)

Sur ces entrefaites, l'autobus arrivait et j'ai dû pousser ma zombi jusqu'à la porte en la secouant un peu afin qu'elle entende mes dernières recommandations:

— Oublie pas tout ce que je t'ai dit, han? Prends ton temps pour écrire ta lettre à Longchamp; écris au présent autant que possible; pis fais attention à...

Soudain Marlène s'est réveillée:

— Oui ma tante!... Attention aux fautes niaiseuses; à l'auxiliaire « avoir »; à l'accord du verbe avec son sujet, à... Alouette! Ça fait cent fois que tu me répètes les mêmes affaires! Je vais m'en souvenir, crains pas! Je commence à composer ma lettre dès cette semaine. À moins que Haï-Bang se déniaise pis qu'il me prenne tout mon temps? Pis toi, tu diras « Adios » à Julian de ma part!

Sur le balcon, on s'est échangé des becs mouillés. Puis je l'ai regardée qui déboulait les dernières marches de l'escalier. Une fois l'autobus parti, je me suis traînée jusqu'à mon lit et je me suis endormie tout habillée.

Chapitre VI

V comme dans Victoire

Sainte-Émilieville, 4 avril 1989

«Ah ! y a pas à dire, avec la belle personnalité personnelle qu'il a mon Maurice, sans oublier la parfaite beauté de sa figure et des traits de son visage, non plus que son exceptionnelle intelligence secondée par une vivacité d'esprit peu commune qui le rend sympathique à tous et à toutes, je suis convaincue, moi sa propre mère, qu'il est fait pour connaître un avenir extrêmement brillant.

Mon Maurice ! mon soleil à moi ! Quand tu atteindras ton zénith, ton éclat sera si aveuglant que, pour t'admirer, le monde entier devra chausser des lunettes fumées !»

Hi ! Ha ! Je l'ai fait ! On l'a fait !

Marie-Mée a quitté l'école, et moi, j'ai arrangé le portrait de Maurice ! Les Gariépy ont vaincu les Desmarais, hip ! hip ! hip ! hourra !

Je suis tellement énervée que je sais pas par quel bout commencer... mais j'essaierai d'être brève et précise.

Figure-toi que Marie-Mée a décroché une subvention pour lancer un projet d'alphabétisation des illettrés de Sainte-Émilieville et des environs. (Il paraît qu'il y a encore plein de monde au Québec qui ne savent pas écrire pantoute ! Savais-tu ça toi ? Moi non !) C'est un de ses amis professeur à Montréal qui lui a suggéré l'idée (il s'appelle Alain). Elle dit que c'est juste un ami, pas plus.

Donc à partir de la semaine prochaine elle va aller donner des cours à domicile. Elle n'a pas voulu m'en parler avant d'être sûre de son coup. J'étais un peu fâchée qu'elle m'ait fait des cachotteries, mais tu peux croire que je me suis défâchée vite quand j'ai pensé que je pourrais faire le portrait de Maurice sans risquer que ma mère ne subisse les foudres de Desmarais mère.

J'ai donc l'immense joie de t'annoncer, ma très chère Marlène, que mon exposé de ce matin a été un franc succès : j'avais pas lu cinq lignes que Maurice fondait littéralement sur sa chaise, et avant même la fin de la première page (j'en avais trois), il s'était enfui dans le corridor en courant...

Mon prof a paru choqué par mon audace, mais il ne pouvait rien faire, étant donné que mon texte correspondait à ce qu'il avait demandé (c'était à lui de spécifier qu'il n'accepterait pas les propos diffamatoires, han ?). Je me sens tellement bien, si tu savais ! Je pense que Maurice va avoir peur de se montrer devant moi à l'avenir...

Et de ton côté, quoi de neuf ? J'espère que tu te débrouilles bien avec ta lettre à Longchamp ? Inutile de te dire combien j'ai hâte de voir ça !

En fin de semaine je vais aider Marie-Mée à préparer ses nouveaux cours. Je sens que je vais m'amuser ! Il y a aussi la très longue lettre que je me propose d'écrire à Julian, et dans laquelle je dois lui expliquer ta démission subite... J'ai pas envie par exemple de lui envoyer ma photo tout de suite. Je vais attendre d'avoir pris un peu de soleil (y a rien de mieux contre l'acné...).

Bon ben, salut!

Louise XXXX

P.-S. Il y a un monsieur Belleau qui te fait dire un «beau bonjour!»

Montréal, 15 avril 1989

Allo Loulou l'invincible, Loulou l'incroyable et l'incroyable Loulou! Je suis fière de toi, comme tu as l'air fier de toi même. Les affaires ont l'air d'aller mieux pour les Gariépys et c'est bon signe mais ça veux tu dire que vous revenez pas à Montréal? Ta mère est tu pris pour passer le restant de sa vie à apprendre l'alphabet à des cultivateurs? Je pense moi qu'elle perd son temps. Le monde là bas ont pas besoin de savoir lire et écrire pour planter des patates... Pis vous êtes obligés de revenir parce que je vous ai trouvé quoi ?, un complément d'objet directe qui s'appelle logement et qui est beau bon pas cher, situé à deux rues à côté de chez nous !

C'est un 4 1/2 dans un deuxième étage avec de la peinture fraîche et le chauffage électrique. Mais je sais pas pourquoi je te raconte toute ça vu qu'on va sûrement vous téléphoner avant le temps que t'aye ma lettre.

J'ai bûché toute la semaine sur ma lettre de bêtises jusqu'à ce que je comprenne la manière de faire la présentation pour parler de mon sujet et que tout soie à mon goût ou presque. J'ai même pas vu Haï-Bang de la semaine pour pouvoir mettre plus de temps sur ça. Je m'ennuis de lui mais il y a quelque chose de bon là dedans et c'est que lui aussi a l'air de s'ennuyer. Mais j'ai décidé de le laissé moisire un peu.

Moi aussi je me sens bien depuis que je suis allée te voir. J'ai recommencé à jouer un peu de piano. Mon père a l'air content que je recommence à pratiquer et le ragtime ça fait rire les jumeaux.

Quand je joue ils ne pensent pas à se chicaner et c'est toujours ça de prix... Il n'y a rien de neuf depuis qu'on s'est vu de mon côté... Je t'envoie une photocopie de la lettre pour Longchamp dès que j'ai finie de l'écrire!

Marlène XXX

J'ai reçu ce matin une lettre d'Angleterre: «Je cherche pour Sainte-Émilieville sur une carte du Canada et je ne trouve pas. *Anywhere.* Alors je me suis dit, peut-être tu existes pas dans le monde réel, peut-être que ta lettre est seulement fruit de mon imagination. Si tel le cas, je découvre avec merveille que mon imagination a produit un fruit rare et exquis.»

Quel fou charmant! Et quelle délicatesse! Moi qui craignais que Julian serait déçu d'apprendre que sa correspondante avait changé de nom, me voilà tout à fait rassurée: Julian et moi, ça clique, on dirait... (Mais faudrait qu'il arrête de me lancer des fleurs parce que ça génère chez moi des bouffées de chaleur...)

Il m'a envoyé aussi la photo de promotion de son groupe de *Rain makers*. Lui et sa bande ont adopté la tenue « salopette et masque à gaz », ce qui fait que je ne sais toujours pas de quoi il a l'air... Il ne faut pas que j'oublie de demander à Marlène de m'envoyer sa photo. Je meurs d'envie de voir sa binette (J'espère au moins qu'elle ne l'a pas jetée !)

Montréal, 26 avril 1989

Je sors avec Haï-Bang depuis 2 heures !

C'est fou à dire de même mais c'est parce que là il est minuit et que je suis partie de chez eux à dix heures parce que c'est l'heure ouseque tout le monde se couchent dans sa famille et que c'est quand je suis venue pour sortir de sa chambre qui s'est décidé à me sauter dessus pour m'embrasser... Il était temps parce que j'étais à la veille de l'assomer avec son carburateur ! (non c'est pas vrai, je niaise !)

J'ai pas envie de lui faire mal, il est trop fin! Mais mon doux que ça lui a prit du temps avant qu'il se déniaise!

Il n'a pas appelé pendant toute une semaine et ce soir il m'appelle d'urgence pour que j'aille l'aider à remonter un moteur. Ça presse à ce qui paraît et il paraitrait aussi que je suis bonne pour trouver les fils pas bons mais c'était seulement un prétexte pour me voir parce qu'on a presque pas travaillé là-dessus. On a parlé de toutes sortes d'affaires et ça faisait changement pour une fois... On arrêtait pas de se regarder et de rire de nos niaiseries mais tu sais comment c'est... Je suis en amour ma Loulou, et cette fois c'est vrai de vrai. J'ai tous les symptomes, le cœur qui fait du cent milles à l'heure et les jambes molles, les yeux dans le beurre et les mains trempes, le ventre qui crit et j'ai pas faim (c'est vrai aussi qu'il est passé minuit mais je suis sûre que je vais maigrire de dix livres cette semaine...)

C'est tripant sauf que ça fait une heure que j'essaye de m'endormir sans pouvoir. La preuve cette lettre...

Je pense que je pourrai pas dormir de la nuit si je continue à être énervée de même... Demain j'étais supposée aller faire un grand tour de bicyclette avec Sylvie, Manon pis Serge mais je vais les appeler pour les baver et leur dire que «just to bad», que je pars en lune de miel avec mon nouveau chum...

Haï-Bang m'emmène voir une compétition de trial *à Sherbrooke, on part en autobus et on va passer toute la journée ensemble, seulement qu'à y penser je fonds comme une livre de beurre au soleil.*

Il faut que j'arrête de penser à lui et que je dorme un peu si non demain je serai bonne pour les vidanges.

J'ai fini ma lettre pour Lonchamp et je suis pas mal contente, même si pour l'instant, lui il me passe dix pied pardessus la tête. Je l'ai mis dans son casier cet après-midi en sortant de l'école. J'ai aussi une photocopie pour toi dans l'enveloppe. Tu me diras comment tu la trouves. Moi pour le moment j'ai juste très hâte à demain. Demain vite Demain! Mon cœur capote!

Bonne nuit dors bien ma chère,

Marlène XXX

Monsieur Longchamp,

C'est moi Marlène, l'épaisse du foyer 411 avec ses cheveux épais aussi et qui me bouchent les oreilles comme vous l'avez dit une fois! Si je vous écrit c'est parce que vous ne me donnez jamais une chance pour m'expliquer quand je suis en classe. Par écrit au moins je suis sûre que vous allez lire jusqu'à la fin tout ce que j'ai à dire. Vous allez voir comme c'est instructif.

D'abord j'ai le triste regret de vous apprendre que nous sommes 29 élèves dans votre classe, pas seulement 10-12 comme vous le penser. C'est vrai que les têteux de prof s'assient souvent en avant et vous, avec votre vue faible, vous voyez seulement les premières rangées. C'est plus pratique pour vous aussi de rester en avant et de se pencher sur leur table pour expliquer individuellement plutôt que marcher vers en arrière ou nous autre les poches on est. On dirait que vous avez peur de vous enfarger dans les allées. C'est vrai souvent que les allées sont croches et que ça peut-être dangeureux pour un mioppe comme vous. Mais même si les allées seraient larges et droites comme dans un centre d'achat je suis sûre que vous viendrez pas plus souvent magasiner dans notre coin.

C'est que voyez-vous monsieur, quand vous parlez en regardant les 10, 12 en avant, nous autres en arrière on arrive à penser que ce que vous dites ça nous regardent pas. (C'est pour ça qu'on regarde ailleur ou qu'on regarde l'heure). Et après vous êtes étonnés des faibles notes. J'ai dit «étonnés» mais ce n'est pas le bon mot car ça fait longtemps que vous êtes indifférends pour ce qui touche à nos échecs...

Ça fait longtemps que vous avez démissionné, ça fait longtemps que vous demandez plus si ceux «en arrière» ont compris la matière. Ça fait longtemps que vous avez faite une croix sur nous autres. Vous avez décidé qu'une classe de 10-12 c'est bien assez pour vous.

Il y a sûrement l'antipathie naturelle qui existe entre nous deux, ça il faut le dire, mais il me semble qu'un vrai professeur ça doit se forcer pour être juste avec tout le monde et pas seulement avec ceux qui rient de ces farces plates à mort. Moi j'ai essayée de me retenir le plus longtemps possible mais c'est quand vous m'avez accusée de plagiat devant toute la classe que le couvert de mon chaudron a sauté! Vous avez été dégueulasse et je dis ce mot là parce qu'il est bon dans Le Petit Robert *mais j'en aurais bien d'autres que mon* Petit Robert *n'ose pas dire...*

Non mais c'est vrai! Si vous avez besoin de moi pour vous défoulez moi j'ai pas besoin de vous. Vous saurez que depuis le mois de février je pratique mon français sans votre aide et si j'ai appris à mieux écrire vous pouvez être certain que ce n'est pas de votre faute! Cela aurait pu l'être un peu aussi si vous m'auriez encouragée au lieu de m'aplatir comme vous faites.

Pour clore cette lettre (clore: verbe synonyme d'achever, terminer, finir. Son homonyme est chlore), j'espère seulement une chose et c'est que l'année prochaine vous tomberez sur une classe de 75 % en montant... Je suis sûre que ça ferait votre affaire (une classe de bolés) mais ce n'est pas à vous que je pense en disant ça, c'est aux poches qui risquent de vous avoir comme prof... Je vais prier pour eux autres. C'est tous ce que j'ai à vous dire.

Marlène Robert
Foyer 411

Comme diraient les Français: « Voilà une fille qui ne manque pas d'couilles! » En tout cas, Longchamp, lui, va s'apercevoir que Marlène n'a pas peur des mots quand elle s'y met, oh! que non!

Et pour être tout à fait honnête, je dois avouer qu'au niveau du contenu, le texte de Marlène est meilleur que celui que j'ai écrit à propos de Maurice! (Évidemment je ne lui dirai jamais ça à elle: des plans pour qu'elle s'enfle la tête!)

Pour le moment, y en a ben assez d'une, tête enflée!... Hé que je suis donc fière! Fière de Marlène, fière de moi, je suis tellement débordante de fierté que j'en renverserais à pleines pages!

Heureusement que pour me ramener sur terre je me suis promis d'aller tout de suite, *now,* sans faute! chez monsieur Belleau pour y passer la balayeuse. Depuis le temps qu'elle traîne dans le salon, elle aurait elle-même bien besoin d'un petit coup d'époussetage...

Montréal, 9 mai 1989

J'en reviens pas! Un vrai miracle, Louise: j'ai eu 15 sur 20 dans mon dernier examen de français! J'ai tout eu bons dans les accords du participe passé employé avec AVOIR! Longchamp a failli avaler sa craie!

Depuis mardi, il me regarde comme si jétais un extraterrestre, je pense vraiment qu'il a eu un choc en lisant ma lettre. Il a rien dit de bête, mais quand je le regarde il transpire comme un bain sona. Tout le monde dans la classe se demandent ce qu'il a mais naturellement je n'ai pas parlé de mon affaire à personne (ça reste entre lui et moi pis entre toi et moi aussi naturellement).

Penses-tu qu'il (pr. pers. «il» mit pour Longchamp) va nous péter une dépression nerveuse ?

Samedi, Haï-Bang est venu souper chez nous et les jumeaux l'ont pas lâché. Il s'est fait cruisé par Geneviève (franchement, à 3 ans c'est un peu jeune !) et on a bien ri. Germain la grande gueule a été content quand Haï-Bang a dit qu'il («il» pronom très personnel mis pour mon Haï-Bang) réparait des motos mais qu'il en avait pas à lui. Je ne t'avais pas dit ça je pense ? Figure-toi donc que tout l'argent qu'il fait en réparant des motos ça va à sa famille ! Il n'a presque pas une cenne à lui. Te rend tu conte ?

Lui il trouve ça normal, il ne se plain pas. Mais c'est pas normal ! C'est impossible qu'il ait pas envie d'avoir sa moto à lui. Il est maniaque des motos, *il en mangerait, il en rêve, il dort à côté d'eux autres! (Mais plus maintenant, il a sorti ses bébelles dans sa cour depuis qu'il fait beau).*

En tout cas j'ai de la misère à croire que ça le dérange pas de se promener en métro pis en autobus. Pis moi j'aimerais ça faire de la moto avec lui, je le verrais avec un beau coat en cuir (moi j'ai déjà le mien) mais ça coûte trop cher à ce qu'il dit... Pourtant avec toutes les «jobs» qu'il a faite cet hiver, il doit avoir fait pas mal d'argent et sa famille c'est quand même pas des boat people! Je ne voudrais pas qu'il me prenne pour une maudite égoïste mais je viens enragée de savoir qu'il travaille comme un fou pour des pinottes!

À part ça je suis certaine qu'il se fait avoir par le gars du garage qui rachète les motos refaites à neuf. Je vais faire une enquête l'air de rien pour savoir...

Mais assez mémeré, je t'envoie la photo de ton Julian capoté et aussi pour monsieur Belleau une vieille photo de Scott Joplin qui appartenait au père de mon père. Je l'ai échangé contre une fin de semaine à faire la gardienne des jumeaux parce que mes parents s'en vont à un congrès. J'ai fait un maudit bon deal: Haï-bang va venir garder avec moi (j'espère!) et j'ai la photo en plus! Pauvre papa... Si ma mère n'était pas là pour sentir les bons deals à faire dans la compagnie, ça fait longtemps qu'il aurait faite faillite! Bye!

Marlène XXX

Sainte-Émilieville, 22 mai 1989

«... si tu le verrès, il resamble un peu à Denis Charland mes il est 100 fois plus beau...»

Te souviens-tu de ça? C'était dans ta toute première lettre...

Je pensais que t'exagérais quand tu me vantais la beauté de Julian, mais maintenant que j'ai vu, je suis convaincue!

Julian est presque trop beau pour être vrai! On dirait un ange! Je le trouve tellement superbe que je suis DÉSORMAIS GÊNÉE de lui écrire... C'est niaiseux, han? Mais quand je regarde sa photo, les mots me manquent, j'ai peur qu'il me trouve épaisse, fatigante...

Ces yeux ! Aye ! Aye ! Aye ! Et cette bouche ! Ayoye !

Quand j'ai vu cette beauté fatale, je me suis installée à ma table avec l'intention de lui écrire une lettre d'au moins dix pages. Deux heures plus tard, je traînais encore sur la première ligne ! Maudit que c'est fou ! Intimidée par une photo !

J'ai rangé ladite photo et ma lettre d'une seule ligne. Puis j'ai pris une autre feuille en souhaitant qu'écrire à mon amie Marlène m'aiderait à me dégourdir les doigts...

Alors comme ça, te voilà filant le parfait bonheur avec ton petit mécanicien ? Je suis bien contente pour toi. Tomber réellement en amour, c'est ce qui pouvait t'arriver de mieux !

Laisse-moi te dire que tu y vas raide dans ta lettre à Longchamp... Je suis certaine que personne ne lui a jamais parlé comme tu le fais !

... En plus tu me dis que tu as passé « haut la main » l'épreuve des participes avec « AVOIR » ?!! Chapeau ! Félicita-

tions! Mais attention: Longchamp pourrait bien aller quêter une augmentation de salaire pour avoir réussi à enseigner une règle difficile à une «poche» comme toi. HA! HA! HA!

Monsieur Belleau te fait dire un gros merci pour la photo qu'il a posée en évidence sur le piano. Moi ça me fait un objet de plus à épousseter, sans compter que le Scott Joplin en question n'est pas beau comme Julian...

J'ai beaucoup travaillé ma «respiration» ces dernières semaines et monsieur Belleau a dit que je commençais à être «écoutable» (Il m'a dit ça un jour de rhumatismes, imagine! C'est un gros compliment!)

Je l'adore ce bonhomme-là. Avant-hier Marie-Mée a frisé la crise de nerfs quand sa minoune a décidé de rendre l'âme au moment où elle partait pour aller donner ses cours. Et c'est monsieur Belleau qui l'a dépannée en lui prêtant sa «berline» (comme il dit), et ce, aussi souvent qu'elle voudrait. On est chanceuses de l'avoir, lui...

On a rencontré la mère de Maurice à l'épicerie: en nous apercevant, la *bouteille d'huile Mazola lui a glissé des mains: POF! Ses beaux souliers à deux cent piasses baignaient dans l'huile! On a ri! On a ri! On a même acheté une bouteille de vin pour fêter ça au souper.*

Bon, je me sens moins engourdie... Je pense que je vais me ressayer pour la lettre à Julian. Mais c'est pas facile de rester naturelle quand on a affaire à une beauté pareille!

Bye bye.

Louise XXX

Chapitre VII

L'ultime épreuve

Montréal, 1er juin 1989

Louise ! Louise ! Louise !

Je suis énervée comme la première fois que je t'ai écris mais pour une autre raison. Les examens du ministère s'en viennent et je capote et voici pourquoi: mais avant il faut que je te dise que Haï-bang va avoir sa moto à lui bientôt grace à moi (je t'expliquerai comment j'ai réussi à le convaincre quand je te verrai car c'est une trop longue histoire).

Donc Haï-Bang et moi et la moto on veut aller faire du camping au mois de juillet mais il y a un problème et ce problème s'appelle Germain Robert... Mais heureusement pour moi que mon père a un vice qui s'appelle la gageure.

Donc j'ai prit une gageure avec mon charmant père, je lui ai dit: «Si j'ai 65 % dans mon examen du ministère en français vas-tu me laisser aller en camping avec Haï-Bang?»

Il a répondu: «Jamais dans cent ans!»

Là j'ai dit: «70 %?»

Là il m'a regardée avec un drôle d'air, il devait penser que j'étais un peu «crackpot». Il a dit: «70 %? Toi? J'ai certainement mal entendu!»

Là j'ai dit: «Si j'ai 72 % vas tu me payer aussi un casque?»

Il est resté la bouche grande ouverte car il ne savait plus quoi dire. Mais finalement il a accepté la gageure car il est sûr que je vais perdre tu comprends?

Penses-tu que je vais être capable d'avoir 72 % si j'étudie jours et nuits pendant le temps qui me reste?

Il y a juste toi qui peut me dire franchement si je rêve en couleurs ou si c'est possible de le faire. Si je gagne, ça veut dire que je pars avec mon Haï-Bang d'amour... Mais si je perds, je pense que je vais aller à Londres avec ma mère même si j'ai pas envie d'aller là-bas. J'irai cacher ma honte pendant 2 semaines...

Mais ce n'est pas tout: ma mère trouve que ma gageure c'est une bonne idée mais elle voudrait savoir au plus vite si elle doit réserver 2 billets d'avion ou seulement 1. Alors j'ai eu une bonne idée: j'ai dit que si je gagnais c'était grace à toi car c'est toi qui m'a aidée à apprendre à écrire. Je lui ai dit pour Julian et tout et elle est d'accord pour que t'ailles à ma place si jamais je gagne... Do you understand *que tu cours la chance de voir Julian en personne? Es-tu énervée? J'espère que oui parce que ça voudrait dire que moi je cours des chances de gagner ma gageure!*

Je voudrais tellement réussir mon examen, tu peux pas savoir! Pour pouvoir partir deux semaines en moto toute seule avec Haï-Bang, on irait jusqu'au Lac-Saint-Jean, on ferait le tour des terrains de camping. Le soir on monterait notre tente, on zipperait nos sleepings ensemble et on ferait les fous autant qu'on voudrait... Pis on irait voir la maison ou Mario Tremblay est venu au monde (c'est l'idole de Haï-Bang). Pis on irait jusqu'à Sainte-Émilieville pour dire bonjour à M. Belleau (si il nous reste assez de gaz...).

C'est drôle que je te parle d'aller à Sainte-Émilieville pendant que toi, tu dois être en train de faire tes boîtes pour revenir à Montréal...

J'ai hâte que t'arrives! J'ai hâte de te montrer Haï-Bang! Mais une chose que j'ai pas hâte, c'est les examens... Je dormirai pas pendant 2 semaines! J'aimerais ça pouvoir être comme toi. Toi tu t'énerves jamais pour les examens vu que tu es toujours sûre de passer. Mais pour moi c'est toujours la fin du monde et cette année c'est pire que jamais! Mais j'ai décidé d'apprendre ma grammaire par cœur si le faudrait. Penses-tu que c'est faisable? Il y a même Longchamp qui a commencé à s'énerver pour les examens. Il nous donne plein d'exercices à faire et plein de révisions. Il transpire comme un cheval sur un rond de course et nous autre juste un peu moins que lui. C'est drôle on dirait qu'il s'est réveillé *tout d'un coup. Est-ce que j'ai quelque chose à voir là dedans???*

Écris-moi vite vite, je m'ennuie et j'aurais bien besoin d'un cours accéléré de français!

Bye

Marlène XXX

Sainte-Émilieville, 9 juin 1989

Un passeport! Il me faut un passeport! Des pilules pour le mal de l'air! Un imperméable! Un sac à dos! (Heu non... Je vais prendre celui de ma mère). Des films pour mon appareil-photo (plutôt celui que monsieur Belleau va me prêter). Oh! Allo Marlène! J'étais en train de penser à toutes les affaires que je devrais emporter pour avoir l'air d'une vraie touriste... Ça en fait! Mais ce que j'aime penser par-dessus tout, c'est que je vais pouvoir rencontrer Julian! Attends une seconde que je me pince: Ayoye!

C'est donc vrai? C'est bien toi, Marlène, qui m'offres ce voyage de rêve? Inutile d'ajouter que je me vois déjà là-bas et que je serais horriblement déçue si tu perdais ta gageure...

... Terriblement, affreusement, horriblement déçue... Tu ne peux pas échouer, maintenant que tu m'as mis l'eau à la bouche!

Mais t'es quand même pas pour te mettre à étudier la grammaire Grevisse par cœur! Ce serait de la folie! Une grammaire c'est pas une pièce de théâtre! Si tu veux aller chercher un maximum, il va falloir que tu t'y prennes autrement, et je m'en vais te dire quoi faire car pour ne rien te cacher, j'ai hâte de changer mes cennes en pence...

— D'abord, je vais faire une petite récapitulation pour que tu saches où tu en es avec ton français.

Primo: Les phrases... Tes phrases commencent à avoir fière allure. Tu as appris à les construire de manière à ce qu'on te lise sans difficulté, et c'est ton meilleur «atout»: ça prouve que tu connais la syntaxe et ceux qui corrigent les examens aiment ben ça...

Secundo: Les verbes... Pour les verbes, j'ai remarqué une amélioration d'environ 900 pour 100: c'est pas encore assez...

Tertio: L'orthographe en général... Alors là on peut dire aussi que tu t'es enrichie. Je gagerais que ton dictionnaire a doublé d'épaisseur à force d'être feuilleté ! Et puisqu'on va avoir à faire une rédaction à l'examen, moi je te conseillerais de te pratiquer à écrire des petits textes selon le schéma habituel, c'est-à-dire: introduction-nœud-conclusion. Et essaie autant que possible d'utiliser des mots qui te sont familiers, des mots que tu as déjà lus souvent et qui doivent se trouver «sans faute» quelque part dans ta mémoire visuelle, humm ?

Mais surtout, surtout, concentre-toi: pense à tes mots, à tes phrases. Pense à ce que tu veux dire, et exprime-le clairement et simplement (comme tu l'as fait dans ta lettre à Longchamp).

Même chose pour le cas d'une analyse de texte. Quand tu vas faire l'analyse, tâche d'être sûre d'avoir compris le texte avant de t'attaquer aux questions. Lis tranquillement, sans t'énerver. De toute façon, dis-toi bien que le texte que tu auras à analyser sera plus facile à lire que mes lettres! C'est vrai! On a toujours affaire à des textes écrits par de «vrais» auteurs, avec des belles grandes phrases bien tournées, des phrases complètes, avec des beaux adjectifs, des beaux adverbes, des beaux compléments, et tout... Alors lis bien, relis bien, re-relis bien, et réponds du mieux que tu peux, en soignant tes phrases et ton orthographe. C'est la meilleure façon de te rapprocher de ton 72 % et du Lac-Saint-Jean!

Et si tu échoues, eh bien... je n'aurai qu'à jeter le formulaire pour ma demande de passeport, qu'à dire à monsieur Belleau de laisser faire pour l'appareil-photo pis... Un imperméable me sera quand même utile à Montréal, han?

Montréal, ça au moins ça ne dépend pas d'une gageure: c'est officiel. Dans trois semaines, je serai à Montréal où ça pue, où y a plein de bruit, plein de monde, plein d'amis... J'espère que la gang ne m'a pas oubliée. Ils vont voir que j'ai pas changé, sauf pour les boutons que je n'ai presque plus... Le soleil de Sainte-Émilieville m'a fait du bien, on dirait.

J'ai même pu envoyer une photo «potable» à Julian (monsieur Belleau m'a photographiée avec son Polaroid).

On va probablement «débarquer» à Montréal au plus tôt le trois ou le quatre juillet; le temps que Marie-Mée finisse d'arranger ses paperasses. S'il n'en tenait qu'à moi, je serais à Montréal le vingt-deux juin, c'est-à-dire le lendemain de mon dernier examen.

C'est monsieur Belleau qui va nous déménager avec sa berline et une remorque louée. Mon père s'est offert pour venir nous déménager le 1er juillet, mais vu que ma mère pouvait pas, et vu que, lui, ne pouvait pas se libérer un autre jour...

C'est sûrement la dernière lettre que je t'écris avant de te revoir pour de bon. Ça me fait tout drôle... Je sais pas comment la finir...

Je voudrais que tu saches combien j'ai eu du plaisir à t'écrire, à écrire pour toi, et combien ça m'a désennuyée... Si t'avais pas été là, je sais pas ce que j'aurais fait!

À très bientôt, en chair et en os!

Louise XXX

Montréal, 19 juin

You are going to London!

Je sais pas quelle note j'ai eue pour mon examen mais c'est sans importance. On vient d'avoir un conseil de famille dans la cuisine et qui a finit par «tout est bien qui finit bien». Mais je vais recommencer par le commencement, ça va aller mieux pour que tu comprennes.

Après midi, c'était l'examen de rédaction et je suis sûre de passer mais c'est impossible de dire si j'ai 60 % ou 70 % ou 72 %... Hier aussi ça bien été mais avec les analyses de textes non plus on peut jamais savoir quelle sorte de note on va avoir.

En arrivant chez nous après l'examen j'ai parlé pendant longtemps avec ma mère. On a parlé des examens, de mes progrès en français, de Haï-Bang et moi, et aussi de toi. Je lui ai montré mon brouillon de rédaction. Elle a trouvé que tu avais fait des miracles avec moi (c'est ça qu'elle a dit: «Ma foi du bon Dieu, Louise a fait des miracles avec toi!»)

Alors j'ai dit comment que t'aimerais ça aller en voyage, j'ai dit: «Après tous les miracles qu'elle a faits pour moi, il faudrait la dédomager!» Elle était d'accord.

Puis après le souper on a plaqué toutes les deux Germain Robert dans le coin de la cuisine et on l'a pas lâché avant qu'il dise OUI pour moi et Haï-Bang! Alors tu vois comme tout est bien qui finit bien.

Ya hou! Moi je pars et toi aussi! Penses-tu que tu vas avoir assez de temps pour écrire à Julian que tu arrives? Mais je suis ben niaiseuse! Je ferais bien mieux de te téléphoner ça va aller plus vite!

Bye... À tantôt!

Marlène XXX

Chapitre VIII

Le grand départ

Marie-Mée et moi, on exhibait des sourires béats (ce qui nous donnait un p'tit air débile mais on s'en foutait). Elle venait de recevoir un appel de son ami Alain. À l'automne, elle travaillerait avec lui au centre Lartigue. « Un emploi à plein temps, te rends-tu compte ? » Ma mère était joyeusement hystérique. Et moi, j'étais sûre que la perspective de pouvoir côtoyer « son » Alain tous les jours l'excitait autant — sinon plus ! — que sa job à plein temps...

J'étais super contente pour elle, et je l'étais encore plus pour moi-même : Louise Gariépy, c'est-à-dire moi-même en personne, allait bientôt s'envoler vers l'Angleterre. Entre-temps, je marchais sur les nuages en rêvant au visage angélique d'un beau British prénommé Julian... Quinze jours! Dans quinze jours exactement, Julian Petticoat se tiendrait juste là, en face de moi: j'avais du mal à y croire!

En quelques semaines, ma petite vie était devenue excitante comme jamais je n'aurais pu l'imaginer. Les examens du Ministère passés, je ne tenais plus en place. J'avais tellement hâte de sacrer mon camp de Sainte-Émilieville que j'ai entrepris d'empaqueter tout notre ménage sans attendre Marie-Mée (elle mettait les bouchées doubles dans son travail pour finir à temps. Tout juste si elle s'arrêtait pour manger...).

Monsieur Belleau était venu me donner un coup de main pour les trucs qu'il fallait décrocher ou démonter ou dévisser. Pour bien montrer que ça ne faisait pas son affaire pantoute de nous voir partir, il n'arrêtait pas de bougonner: «Qu'est-ce que t'as encore fait du tournevis? ma bonyenne de traîneuse! Comment veux-tu que je travaille si t'arrêtes pas de faire disparaître mes outils?» Trottinant d'une pièce à l'autre avec son faux air bourru, mon Belleau s'amusait à se rendre in-dis-pen-sa-ble et moi, pour lui donner le change, je multipliais les maladresses jusqu'à ce que je l'entende me traiter de « maudine de sans dessine ! » (Quand il me disait ça, je croulais de rire, immanquablement).

J'avais toujours cru que je quitterais Sainte-Émilieville sans aucun regret, et voilà que j'avais le cœur gros à l'idée de m'en aller si loin de mon Belleau... Heureusement qu'il allait faire le voyage avec nous : ça ferait des adieux moins plates. Et puis je m'étais juré que j'arriverais à le persuader de passer quelques jours chez nous à Montréal (il n'avait pas mis les pieds dans la métropole depuis Expo 67 !).

❑

À l'aube du cinq juillet, les déménageurs de Marie-Mée (deux de ses élèves lui avaient offert gratuitement leurs bras d'acier) achevaient d'empiler nos guenilles dans la remorque. La journée s'annonçait belle : pas un seul nuage en vue. Mais il aurait plu à boire debout que je l'aurais trouvée tout aussi idéale: aujourd'hui on quittait Sainte-Émilieville à tout jamais, et c'était tout ce qui m'importait!

Mon Belleau conduisait comme un pied. Vingt fois, on a failli provoquer un accident: «Ça fait belle lurette que j'ai pas pris la grand'route, on dirait...»

(Il n'avait pas besoin de nous le dire: c'était plus qu'évident!) Mais pour ma part, j'étais tellement excitée et fébrile que je me riais du danger. Ce n'était pas le cas de ma mère... Au bout d'une heure de palpitations (monsieur Belleau, sans égards pour le mastodonte qu'on traînait derrière nous, ne se gênait pas pour dépasser les «lambineux»...), Marie-Mée n'a plus été capable de se retenir:

— Si ça vous fait rien, je vais prendre le volant, monsieur Belleau... Moi aussi, j'ai hâte qu'on arrive en ville, mais j'aimerais mieux qu'on y arrive en vie!

Monsieur Belleau ne s'est pas fait prier: ce qu'il voulait, lui, c'était jaser. Et puis, gesticuleux comme il était, il n'avait pas assez de ses deux mains pour parler... « Tu vas voir Louise, comme ça grouille de vie à London... Moi j'étais là avec le Royal 22e, en quarante-trois... »

Et voilà, c'était reparti mon kiki. Mon Belleau s'était lancé dans une autre épopée de sa tumultueuse période militaire (Marie-Mée et moi, on ne se tannait jamais de l'entendre raconter ses « faits d'armes », sans compter que c'était pas à tous les coins de rue qu'on trouvait quelqu'un qui avait vécu de près la Seconde Guerre mondiale !).

Il était tellement captivant mon monsieur Belleau que, tout à coup, je me suis rendu compte qu'on s'apprêtait à traverser le pont Jacques-Cartier. Montréal était juste là, devant nous, et dans moins de dix minutes on arriverait chez Marlène. Yahou !

❑

Elle s'est jetée sur nous autres en hurlant, comme si on avait été l'incarnation des B.B. (son nouveau groupe préféré...). Après avoir présenté Marie-Mée et monsieur Belleau à ses parents, Marlène nous a entassés dans le salon pour nous expliquer la procédure à suivre: « D'abord on va aller rentrer vos bagages dans votre logement avant qu'il pleuve et pendant ce temps-là ma mère va préparer le souper. Germain pis ses gros bras nous accompagnent. Haï-bang, Manon pis Serge s'en viennent aussi. Ça prendra pas de temps qu'on va avoir fini... Après, on soupe pis ce soir vous couchez ici. Pis après... c'est-à-dire demain on va aller placer vos affaires, pis après-demain soir on va aller au Festival de jazz, han monsieur Belleau ? »

Mon Belleau, complètement vanné, s'était profondément endormi dans le lazy-boy. D'un commun accord, on a décidé de le laisser se reposer et on a pris le chemin de notre nouveau logement en suivant le guide.

Pendant qu'on remontait tranquillement la rue avec tout notre barda (le logement que les Robert nous avaient déniché était situé à quelques maisons seulement de la leur), Marlène continuait de me détailler les plans qu'elle avait faits pour moi: « Après-demain, je t'emmène chez ma coiffeuse, pis après on va magasiner, pis le soir on va chez Sylvie qui fait un party... » Complètement étourdie par toutes ces activités en perspective, j'étais sûre que jamais je n'aurais assez de temps pour tout faire ça dans la même journée: « Quand est-ce que je vais pouvoir avoir mon baptême de l'air, là-dedans ? que j'ai demandé. AVANT le party ou APRÈS le magasinage ? »

❑

Maryse, la coiffeuse de Marlène, avait fait des prodiges. Une vraie artiste. Mes cheveux qui, jusqu'alors, étaient ternes, plats, raides à désespérer, étaient graduellement devenus, sous sa main experte, rien de moins que superbes. Elle m'avait fait une coupe au carré qui m'allait pas mal du tout, et elle m'avait montré comment les coiffer d'un seul coup de peigne, à l'aide d'un peu de mousse.

Marlène avait de quoi être fière: la coiffure, c'était un cadeau qu'elle me faisait et, en plus, j'étais ravie du résultat.

Dans les vitrines de la rue Sainte-Catherine, la mode « Fluo » nous en mettait plein la vue, jusqu'à l'écœurement total. Marlène trouvait ça sublime : moi, le citron-lime, ça ne m'a jamais inspirée... « Ouache ! Ouache ! que je disais, j'ai pas envie de me déguiser en ver luisant ! Marlène Robert, tu ne me feras jamais acheter ÇA ! C'est laid à mourir ! »

— Fie-toi à mon flair infaillible, qu'elle me répliquait. Toi, tu connais rien à la mode... Regarde-ça plutôt : je suis sûre que Julian te trouverait super *cute* là-dedans !

Elle me montrait du doigt un chandail particulièrement épouvantable et surtout très-très vert...

— Penses-tu que c'est son style ? ai-je demandé d'une voix inquiète...

Marlène a répondu sans hésitation : « J'pense que son style à lui doit être cent fois pire que tout ce que tu peux voir ici... Mais t'es quand même pas pour arriver là-bas avec tes Levi's pis ta maudite blouse indienne !... Il va rire de toi !

(Hé ! qu'elle peut être bête quand elle s'y met, ma Marlène !)

❑

On a passé une soirée magique à errer d'un orchestre à l'autre, entre Saint-Denis et la Place des Arts. Marlène a réussi à nous entraîner jusqu'à l'avenue McGill College où le guitariste Pat Metheny (encore une autre de ses innombrables idoles) donnait son spectacle, mais il y avait tellement de monde qu'on a vite rebroussé chemin vers des zones un peu moins fréquentées. C'était pas le choix qui manquait: ça jazzait partout autour de nous. En dernier lieu, on a abouti à la terrasse arrière des *Retrouvailles* où se produisait le beau Carl Tremblay, un «blues man à ruine-babines», comme disait monsieur Belleau. Plus tôt dans la soirée, on avait entendu un dixieband et mon Belleau s'était écrié, enchanté: «C'est Saint-Louis! C'est Saint-Louis!» (Il prononçait «Sainte-Louwiss», à l'anglaise).

C'était une fichue de bonne idée que Marlène avait eue de nous emmener au festival. Notre Belleau était vraiment aux petits oiseaux. Mais il n'était pas le seul à être d'humeur à fêter !

À la terrasse des *Retrouvailles*, le serveur a eu toutes les misères du monde à nous trouver une table. Faut dire aussi qu'on était nombreux : il y avait Sandra et Germain, Marie-Mée, monsieur Belleau, Manon et Serge, Marlène et Haï-Bang, pis moi. On s'est retrouvés tassés comme des sardines autour d'une minuscule table à café. Il faisait une de ces chaleurs collantes, en plus ! Ça donnait soif !

Après deux bières, j'étais déjà un peu pompette et j'ai eu soudain comme une irrésistible envie de taquiner Marlène (ça faisait des heures qu'elle et Haï-Bang se faisaient des mamours sans s'occuper de moi une miette ! C'était bien évident qu'ils s'adoraient mutuellement, mais c'était pas une raison suffisante à mon avis pour se croire seuls au monde !).

— Savais-tu ça, Haï-Bang, que Marlène avait battu un record du monde en français ?

Haï-Bang a subitement cessé de manger Marlène des yeux pour me demander, étonné: « Un record du monde ? Comment ça ? » Marlène était devenue rouge comme une pivoine: « Écoute-la donc pas: est paquetée ! » qu'elle lui a marmonné tout en me pinçant le bras pour que je tienne ça mort... Mais il n'en était pas question. Après tout, Haï-Bang, qui n'était pas macho pour cinq cennes, ne pouvait que se réjouir des prouesses grammairiennes de sa blonde: « Oui, que j'ai dit. Un record mondial ! Marlène est la seule personne, à ma connaissance, qui ait réussi à apprendre à écrire le français en moins de cinq mois ! Un exploit extraordinaire ! Du jamais vu ! On devrait proposer sa candidature au *Guinness* !

Marlène, embarrassée, me dardait de ses yeux mauves. Elle était prête à me fusiller.

— Si tu penses que *Guiness* s'intéresse à ça, tu te mets un doigt dans l'œil ! Ah ! pis arrête tes folleries, veux-tu ?

Haï-Bang, lui, trouvait ça absolument fantastique ! Il était tellement content pour Marlène qu'il a décidé, comme ça, de payer une tournée générale. Et puis monsieur Belleau, heureux comme un roi au milieu de son royaume, y est allé d'une autre tournée, et ce fut au tour de Marie-Mée (tu parles d'une surprise!) qui n'en finissait plus de remercier tout un chacun pour son aide lors du déménagement...

À trois heures du matin, j'étais complètement paf. Et ne me demandez pas comment j'ai réussi à réintégrer ma nouvelle chambre...

Le lendemain, je me suis réveillée avec un mal de cheveux à tout casser, et rien qu'à penser que dans quelques heures, j'allais me retrouver en plein ciel, j'avais d'avance le mal de l'air...

❑

Arrivée à l'aéroport, je n'étais plus du tout certaine d'avoir envie de prendre l'avion. Misérable, je regardais la mère de Marlène, tout sourire, pleinement décontractée. Monsieur Belleau voyait bien que je n'avais pas l'air dans mon assiette. Il essayait donc — à sa façon —

de me remonter le moral: « Relaxe un peu, voyons ! » qu'il disait. « On dirait que tu t'en vas à Auschwitz ! »

Monsieur Belleau avait parfaitement raison. Ça n'avait pas d'allure de craindre que l'avion pique du nez dans l'Atlantique alors que je vivais un rêve: je m'en allais à Londres retrouver un super beau gars avec qui j'allais passer des vacances inoubliables !

Et je repensais au télégramme que Julian m'avait envoyé pour me dire qu'il viendrait me prendre à l'aéroport Heathrow: raison de plus pour avoir hâte de partir !? (Ah ! mon doux Seigneur ! On aurait pas pu prendre le bateau à la place ?!)

Puis on a annoncé le départ de notre avion. C'était le temps, pour Sandra et moi, d'y aller. Ma mère m'a embrassée. Puis ce fut le tour de monsieur Belleau, suivi de Marlène et de Haï-Bang. J'étais émue et comme dans un nuage. Et ce n'est qu'une fois installée dans le siège A-32 (j'avais supplié Sandra pour qu'elle s'installe dans la section non-fumeur), près du hublot, que je me suis rendu compte que j'étais quasi à mon aise, presque décontractée... C'était maintenant au tour de Sandra d'être sur le gros nerf: elle aurait à passer six interminables heures sans pouvoir griller une seule cigarette !

❑

London, 14 juillet

Marlène Robert
4205, rue D'Iberville
Montréal (Québec)
H2H 2L5
CANADA

Hello !

Tout va à merveille (ou presque).

À Heathrow, voyant Julian qui arrivait à ma rencontre, j'ai regretté pour la ixième fois l'achat de cet affreux chandail vert-lime (lui portait un t-shirt blanc, tout-ce-qu'il-y-a-d'ordinaire...).

Ce n'est que lorsqu'il a été rendu devant moi que j'ai découvert ce qui était écrit dessus, en petits caractères *rose tendre: « Gays against 3-A: Aids, Apartheid and Acid rain* * *».*

Laisse-moi te dire que, sous le choc, j'ai viré au même vert que mon chandail ! Ça m'a pris une heure pour retrouver ma vraie couleur, mais finalement tout s'est arrangé: Julian est un guide dépareillé, on s'entend merveilleusement bien, et pis c'est plein de beaux gars dans son entourage (il y en a même quelques-uns qui sont hétéros, oui oui !). On a un fun noir à sortir tous ensemble.

Pis ta mère est super, elle aussi. Elle m'emmène déjeuner tous les jours dans les plus beaux endroits du monde ! J'espère que toi et Haï-Bang faites un aussi beau voyage !

Vive toi,
Vive moi,
Pis vive les vacances !

Louise XXX

---

* Gais contre le sida, le régime d'apartheid et les pluies acides.

Suggestions d'ateliers

1) La première lettre de Marlène comporte 150 fautes : sauriez-vous les découvrir toutes et les corriger ?

2) Louise s'est cassé la tête pour trouver des trucs qui pourraient aider Marlène à mieux écrire. En connaissez-vous d'autres ?
   a) Dressez la liste des trucs que vous employez pour connaître l'orthographe d'un mot.
   b) Adressez une lettre à Marlène et informez-la des trucs que vous avez trouvés.

3) À la page 26, Louise dit quelque chose à propos du *style* et de la *personnalité*.
   a) Imaginez que vous correspondez avec quelqu'un : dans un

premier temps, écrivez votre lettre. Ensuite, écrivez la réponse de votre correspondant ou correspondante en adoptant un *style* différent.

b) Réécrivez la première lettre de Louise *à votre manière*.

4) Les fautes de Julian ne ressemblent pas à celles que fait Marlène: discutez des problèmes de français de Julian. Trouvez des exemples dans ses lettres pour appuyer votre argumentation.

5) Marlène est devenue « championne » de l'accord du participe passé employé avec « avoir ». Êtes-vous de calibre à vous mesurer à elle ? Relisez attentivement les pages 90-91 et demandez ensuite qu'on vous mette à l'épreuve.

6) Jeu de descriptions.
Vous aurez sans doute remarqué que le texte ne donne pas beaucoup de détails sur l'apparence physique des personnages: à

partir des quelques traits physiques que vous aurez relevés dans le texte, dressez le portrait de l'un ou l'autre des personnages (Louise, Marlène, monsieur Belleau, Julian, Maurice Desmarais, etc.).

7) Marlène fait sa liste d'épicerie en vue de préparer une lasagne à la « Di Bello »: dressez la liste des ingrédients qui, selon vous, pourraient entrer dans la composition de ce plat original et écrivez-en la recette en indiquant les quantités (attention à l'orthographe du pluriel!).

8) Imaginez que dix années se sont écoulées...
Marlène, maintenant âgée de 26 ans, écrit à Louise qu'elle *n'a pas vue* depuis longtemps. Que lui raconte-t-elle dans cette lettre?

9) Nous sommes toujours en l'an 2000...
Maurice Desmarais se cherche un emploi et il envoie son curriculum

vitæ à toutes les entreprises susceptibles de l'embaucher. Composez-lui son c.v. (les études qu'il a faites, les emplois qu'il a occupés auparavant, ses aptitudes, ses loisirs, etc.).

10) Amusez-vous à décrire les aventures et les mésaventures de Louise pendant son voyage à Londres. Faites la même chose pour Marlène et Haï-Bang en camping.

Table des matières

Première partie

Chapitre I :
« Je meurs d'ennui » 9
Chapitre II :
Un coup de téléphone
plutôt court 14
Chapitre III :
« Une spécialiste
de l'arnaque, moi ? » 22
Chapitre IV :
Le choix de Marlène 31
Chapitre V :
Un « trip » de grammaire 37
Chapitre VI :
La réplique du Britannique 55
Chapitre VII :
On m'en fait baver ! 62

Deuxième partie

Chapitre I:
Des vacances organisées........... 67
Chapitre II:
Un chien dénommé Maurice 72
Chapitre III:
L'hameçon et le poisson 78
Chapitre IV:
Le plat de résistance 87
Chapitre V:
Oh! le beau trio!....................... 96
Chapitre VI:
V comme dans victoire 109
Chapitre VII:
L'ultime épreuve 129
Chapitre VIII:
Le grand départ 140

Suggestions d'ateliers 155

Cet ouvrage
composé en Versailles Roman corps 12 sur 14,5
a été achevé d'imprimer
en juin mil neuf cent quatre-vingt-onze
sur les presses de l'Imprimerie Gagné,
Louiseville (Québec)